Jean Montaga[rd]

LE MEILLEUR
DE LA CUISINE
Végétarienne

Photographies de Philippe Barret

Ouvrage dirigé
par Philippe Lamboley

HACHETTE

Sommaire

Les Potages, 46

Les Entrées Froides, 54

Les Entrées Chaudes, 76

Les Plats, 96

Les Desserts, 170

L'amour des saveurs

Depuis ma petite enfance, j'aime cuisiner. Des souvenirs de grand-mère !…

Ce livre, plus qu'un simple recueil de recettes, reflète ma philosophie de la vie : une vie plus riche et plus sereine aujourd'hui, grâce au végétarisme. Les recettes que je vous propose sont toutes liées à un moment, une anecdote, un souvenir, une émotion. En vous les livrant, c'est un peu de l'histoire de ma vie que je vous raconte. Une histoire émaillée de rencontres qui en ont plus ou moins fortement modifié le cours.

Mais commençons par le commencement. Au départ, donc, était ma gourmande grand-mère… Et si mon destin devait être de devenir cuisinier, je ne suis pas né végétarien… je le suis devenu.

Mon chemin de la cuisine passe d'abord par le lycée hôtelier de Nice et sa promotion 1964, puis par des palaces azuréens, par trois années en Californie à partir de 1967 et par la Corse, où j'obtiens mon premier poste dans l'Éducation nationale en 1972.

C'est là, à côté de Bastia, que des amis végétariens me conseillent de changer l'alimentation de l'une de mes filles qui a souvent des crises

d'eczéma que nous ne parvenons pas à traiter. En effet, lorsqu'elle est chez eux tout va bien, et dès son retour à la maison les problèmes resurgissent. Il est vrai que, à l'époque, les 100 grammes de viande ou de poisson à chaque repas ne sont pas encore considérés comme une aberration.

La famille s'oriente alors doucement vers le végétarisme. Dans un premier temps, nous abandonnons simplement la viande de boucherie au profit de la volaille. Et en 1975, à Menton, nous décidons tous ensemble de stopper la consommation de viande.

La raison de cuisiner du cuisinier que je suis est de chercher toujours, d'inventer de nouvelles associations, d'expérimenter autour du fourneau.

Et, inévitablement, ce qui au départ était une obligation « santé » devient pour moi un prétexte à réaliser divers essais. Rapidement, toute la famille se retrouve avec des plats végétariens au fond de son assiette… Avec plus ou moins de bonheur selon les jours, mais de plus en plus de plaisir au fil du temps…

Les amis qui viennent dîner à la maison me demandent mes recettes de cuisine et me poussent à ouvrir un restaurant. Chacun aide selon ses moyens… et « L'Artisan Gourmand » voit le jour. Une belle histoire !

La cuisine inventive, chaleureuse, en fait le premier restaurant végétarien à être cité d'une façon élogieuse par Gault et Millau.

Avec la proximité de Monaco, le bouche-à-oreille…, le succès est rapidement au rendez-vous. Cet emploi du temps bien rempli, avec toujours mes cours au lycée hôtelier Paul-Valéry de Menton, durera cinq ans. Mon restaurant est un véritable laboratoire et un tremplin : mes élèves y passent, découvrent des produits – en particulier les biologiques, les algues –, des saveurs.

Après Menton, l'aventure se poursuit avec ma mutation au lycée hôtelier de Nice. J'aime enseigner, transmettre, ouvrir des horizons aux jeunes. L'amour pour ce dur métier de cuisinier est inné. Je le constate chaque année ; sur trente élèves, cinq environ sont passionnés.

C'est leur intérêt qui m'amène à entamer, un peu plus tard, des démarches administratives pour ouvrir une formation végétarienne au sein de l'Éducation nationale. Avec l'accord de l'Académie de Nice, nous mettons donc en place, en 1983, une formation complémentaire de cuisine végétarienne d'une durée de huit mois, à destination des étudiants ayant déjà suivi une formation classique en lycée hôtelier. Dans la même optique, afin de toucher, de sensibiliser un plus vaste public de jeunes, je parviens, avec l'aide du Crous, à introduire des « menus alternatifs » ovo-lacto-végétariens, dans les restos U (selfs pour étudiants). Inutile de préciser que, si l'on se replace plus de dix ans en arrière, cela correspond à une petite révolution ! Le succès confirme l'intérêt de la démarche. À la même époque, le docteur Jean-Michel Lecerf [1] propose, lui aussi, des menus alternatifs à l'Institut Pasteur de Lille.

Le chef en moi sommeille toujours quelque part, l'envie d'un restaurant est toujours là, mais le temps manque. Pourtant, j'ai gardé un souvenir extraordinaire de ces cinq années à la tête et aux fourneaux de « L'Artisan Gourmand ».

Alors, en juillet 1997, avec la complicité de mes filles, je me lance pour la seconde fois dans l'aventure avec l'ouverture du « Restaurant Montagard », à Cannes. J'y crée des recettes élaborées qui sont l'essence de ce que j'ai appris en cuisine classique. Nombreux sont ceux qui dégustent mes préparations sans s'apercevoir de l'absence de viande ! Je fais en sorte de privilégier le choix, je joue beaucoup sur les formes, les textures. Je combine le mou, le croustillant et le *al dente*, afin de proposer des sensations différentes lors de la mastication. Formes, odeurs, couleurs : la cuisine est une alchimie. Et c'est dans ces associations, que le corps puise tout ce dont il a besoin. J'utilise des œufs, des champignons, des légumes, de l'huile d'olive première pression à froid, tous de très bonne qualité, issus de l'agri-

culture biologique ou naturels. Vous savez, cuire un steak c'est rapide, cuisiner goûteux et bon, ça prend plus de temps !

Je suis heureux dans ma cuisine et je pense même ouvrir un autre restaurant à Londres. Je suis également heureux avec mes élèves. Et cette pratique quotidienne avec les nombreuses rencontres qu'elle a suscitées et qu'elle suscite toujours m'a progressivement amené à intégrer un aspect plus « philosophique » à ma réflexion.

Le végétarisme, l'agriculture bio, pourquoi et comment ?

Comme tout le monde, je me suis posé la question : « Manger végétarien, est-ce très bon, bon, ou sans intérêt pour la santé ? » L'expérience de ma fille m'a convaincu, mais ma rencontre plus tard avec le docteur Jean-Michel Lecerf[1] m'a permis de dépasser les constats strictement personnels.

« Le premier gage d'équilibre, note-t-il, et de sécurité alimentaire, est la variété des aliments, car ils contiennent naturellement de très nombreux constituants protecteurs (vitamines, minéraux, oligo-éléments, polyphénols, etc.). On les trouve essentiellement dans les végétaux, surtout s'ils ne sont pas ou peu raffinés. Les légumes en général, les fruits, les céréales et le pain complet, les oléagineux, les dérivés du soja (tofu), les algues en sont riches. Il est vrai que la nutrition est une science encore jeune et que l'on n'a vraiment étudié et identifié de manière approfondie l'ensemble des constituants des aliments que récemment. Il semble ainsi vraisemblable que la plus grande richesse de ces constituants dans l'alimentation végétarienne soit le principal facteur explicatif de la réduction nette de la fréquence des maladies cardio-vasculaires (infarctus, hypertension…), de certains cancers, de la cataracte. Aujourd'hui, les deux premières sont devenues, avec 56 % des décès, les principales responsables de la mortalité des temps modernes. La plupart des nutritionnistes s'accordent à recommander un rééquilibrage de la ration alimentaire par l'intermédiaire d'une

réduction des protéines animales, des graisses saturées et un accroissement des glucides complexes et des fibres végétales. Là aussi, de nombreuses études montrent que la population végétarienne est moins concernée par le diabète, l'obésité, les affections digestives. La nutrition est une discipline beaucoup trop complexe pour supporter les interdits absolus. Au risque de passer pour dogmatique, j'affirmerais : il n'y a pas plus d'aliments parfaits – … à l'exclusion, peut-être, du lait maternel durant les premiers mois de la vie ! – que d'aliments nocifs. Mais pour favoriser progressivement une évolution des mentalités et des habitudes alimentaires, il est préférable de ne pas s'enfermer dans un mode de pensée exclusif ni dans une pratique sectaire, d'un côté comme de l'autre…»

Je ne considère pas l'alimentation végétarienne comme étant à elle seule une garantie de santé, mais c'est un bon atout, comme je l'explique régulièrement à mes élèves de l'école hôtelière. Modèle, non, exemple, oui ! Ce n'est pas l'absence de viande qui cristallise les qualités du végétarisme d'un point de vue nutritionnel, mais une plus grande place accordée aux végétaux.

Séduire par petites touches… adopter progressivement… apprivoiser par étapes… en comprenant le pourquoi, le comment des choses, en observant les bienfaits et en appréciant le plaisir procuré ; manger végétarien un peu, beaucoup, passionnément, est une démarche simple, offrant une grande liberté, sans qu'il soit pour autant nécessaire d'être ou de devenir un végétarien pur et dur. Car, vous l'avez compris, une alimentation végétarienne c'est beaucoup plus qu'un repas sans viande, et c'est justement cela qui fait son charme gastronomique et son intérêt pour la nutrition comme pour la santé.

Le végétarisme, pour moi, s'inscrit davantage dans un état d'esprit, une relation de santé vis-à-vis de soi-même, du respect de l'environnement par un souci de qualité des aliments, dans une dynamique sociale qui rend évidente une solidarité entre un mode de consommation et son incidence économique. Et, bien évidemment, la maîtrise de la technique !

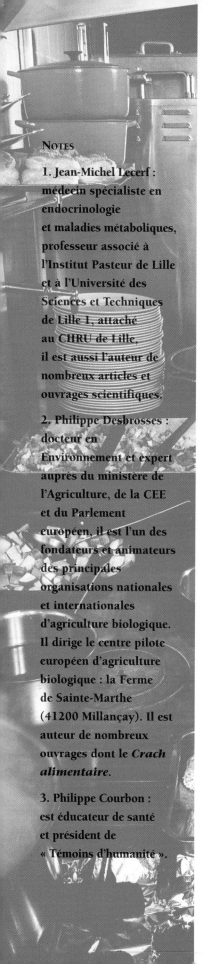

NOTES

1. Jean-Michel Lecerf :
médecin spécialiste en
endocrinologie
et maladies métaboliques,
professeur associé à
l'Institut Pasteur de Lille
et à l'Université des
Sciences et Techniques
de Lille 1, attaché
au CHRU de Lille,
il est aussi l'auteur de
nombreux articles et
ouvrages scientifiques.

2. Philippe Desbrosses :
docteur en
Environnement et expert
auprès du ministère de
l'Agriculture, de la CEE
et du Parlement
européen, il est l'un des
fondateurs et animateurs
des principales
organisations nationales
et internationales
d'agriculture biologique.
Il dirige le centre pilote
européen d'agriculture
biologique : la Ferme
de Sainte-Marthe
(41200 Millançay). Il est
auteur de nombreux
ouvrages dont le *Crach
alimentaire*.

3. Philippe Courbon :
est éducateur de santé
et président de
« Témoins d'humanité ».

Sans oublier, bien sûr, que chaque individu est unique et que ce qui est bon pour l'un ne l'est pas obligatoirement pour l'autre…

Je constate très souvent l'inquiétude des jeunes par rapport au devenir de notre planète, ainsi que leur curiosité vis-à-vis d'autres modes de production, de solutions alternatives.

L'agriculture biologique est une technologie de pointe en phase avec le « vivant »

C'est particulièrement grâce à Philippe Desbrosses[2] que j'ai approfondi mes connaissances concernant l'agriculture biologique ainsi que le lien étroit entre la qualité des produits qui en sont issus et une cuisine aux saveurs et aux goûts retrouvés. « *Le Monde, la Vie, aime-t-il à expliquer, ne sont pas une succession de petites usines chimiques indépendantes les unes des autres mais un tout indissociable, constitué de liens subtils dont la qualité représente beaucoup plus que la somme des parties. L'agriculture, l'alimentation, la santé, la paix civile… sont entrées dans une impasse pour avoir oublié cette réalité universelle.*

Le phénomène de la "vache folle" est peut-être l'illustration la plus caricaturale des dérives de la société actuelle, sécrétées par les concepts matérialistes d'une techno-science dévoyée.

L'agriculture biologique est constituée d'un ensemble de méthodes de production qui n'utilisent pas les produits chimiques de synthèse mais seulement des amendements naturels et des engrais organiques. Son objectif ? Elle réinvente les rotations et les assolements, les engrais verts et les associations de plantes bénéfiques les unes aux autres. Elle utilise les prédateurs naturels des parasites des cultures et les insecticides biologiques. Réhabiliter des variétés rustiques, bien adaptées aux climats et aux terroirs des régions. Cet ensemble de pratiques fait l'objet d'un cahier des charges et d'une réglementation officielle assortie de contrôles réguliers qui permettent d'obtenir une certification representée par le logo AB. Elle s'inscrit dans les perspectives les plus

optimistes de notre société en mutation. Elle donne une dimension spirituelle et morale à l'acte de produire en préservant les ressources nécessaires à notre équilibre psychophysiologique. Ses méthodes respectueuses de la santé et de l'environnement ouvrent sur un nouvel art de vivre. »

Aujourd'hui, on parle beaucoup de la protection de la nature, de bio, de végétarisme : mode ou phénomène de fond ? Toujours optimiste, je penche pour la seconde hypothèse, car beaucoup d'entre nous ont pris conscience de l'immense gaspillage qui, à plus ou moins long terme, ruinera la planète. Comme le résume avec force Philippe Courbon[3] :

« Pour la première fois de l'histoire humaine, semble-t-il, notre génération "emprunte" sur le capital des générations futures. Les chiffres sont clairs, il faut 16 kilos de protéines végétales pour produire 1 kilo de protéines de bœuf d'après l'OMS (Organisation mondiale de la santé). Nous gaspillons au profit d'un mode alimentaire excessivement carné et des goûts culinaires de 15 % de la population mondiale mais aux dépens des 85 % restants pour qui céréales et légumineuses sont les aliments de base, pour ne pas dire de survie. »

Grâce à des rencontres d'hommes hors du commun et à mon expérience quotidienne, je considère le végétarisme comme une sorte d'alternative sociale, un concept novateur. Il permet à la fois une démarche éducative et préventive sur le plan de la santé, il influence positivement le contexte écologique, facilite un meilleur équilibre des richesses nutritionnelles Nord/Sud.

Et, pour rester à un niveau beaucoup plus modeste… le mien, cuisiner végétarien me permet de développer ma créativité, d'explorer des associations de produits peu connues, de découvrir et de faire partager le plaisir de manger autrement, d'être heureux enfin en réunissant mes passions : chercher, cuisiner, enseigner.

Alors à votre tour, à vos fourneaux !

Voici les produits que j'utilise dans ma cuisine. Vous les trouverez en grande partie dans les épiceries biologiques. Les recettes qui font suite (pages 30 à 44), illustrées de photographies en pas à pas, vous initieront à quelques techniques de base simples mais essentielles.

Les algues

D'après Rudolf Steiner (philosophe autrichien, 1861-1925), les algues rechargent en nous la « soupe primitive », c'est-à-dire l'élément originel, notre constitution de base. Elles renferment une forte teneur en protéines et en fer, sont riches en vitamines B12, en iode, en oligo-éléments, en calcium et en magnésium. Les algues se consomment en petite quantité dans des sauces, des farces ou en garniture. J'utilise plus régulièrement des algues déshydratées. C'est sous cette forme qu'elles sont le plus fréquemment commercialisées mais on en trouve actuellement des 'fraîches au sel' dans certaines épiceries biologiques.

Agar-agar

Nori

Dulse

Agar-agar : mélange d'algues, c'est un gélifiant naturel pour toutes les préparations salées ou sucrées.

Aramé : proche de l'iziki par sa forme et sa couleur, son goût est plus léger et plus sucré et sa texture plus croustillante.

Dulse : sa texture et sa forme rappellent la finesse des feuilles de laitue.

Iziki : cette algue renferme 14 fois plus de calcium que le lait et est très riche en minéraux.

Mélange de la mer ou salade de la mer : c'est un mélange de différentes algues.

Nori : cette algue contient beaucoup de protéines, de phosphore et de vitamines A et C. Elle est présentée en paillettes ou reconstituée en plaques pour la réalisation des sushi.

Spaghetti de la mer : elles donnent un excellent résultat en friture. Piquées, elles animent le décor de l'assiette.

Les aromates
et les épices

Les aromates et les épices sont tous d'origine végétale. Seul le sel est du règne minéral. Les aromates poussent naturellement dans les jardins. Les épices viennent des pays chauds et sont étroitement liées à la géographie et à l'histoire.

Dans la cuisine végétarienne, les aromates et les épices interviennent pour varier les couleurs et les saveurs. Ce sont les éléments indispensables à la spiritualité d'un menu. Aromates et épices vont en général faciliter la digestion et sont utilisés en phytothérapie et en aromathérapie.

Cannelle

Citronnelle

Anis vert : ce sont les petites graines mûres de l'ombellifère *Pimpinella anisum*. Il est plus raffiné que la badiane (appelée aussi anis étoilé).

Basilic : aromate typique des préparations méditerranéennes, il révèlera tout son parfum s'il est haché au tout dernier moment.

Cannelle : c'est l'écorce du cannelier. La plus estimée provient du Sri-Lanka.

Cardamome : sa saveur est astringente, poivrée et amère. Ma préférence va à la cardamome verte.

Carvi : cette graine noirâtre, étroite et incurvée est plus anisée, mais moins poivrée que le cumin.

Cébette : c'est une variété d'oignon nouveau que j'aime utiliser.

Cinq-poivres : c'est un mélange de poivre vert, noir et blanc, de baies roses et de piment de Jamaïque.

Citron : je recommande celui de Menton pour sa saveur exquise.

Citronnelle : c'est la feuille fraîche d'une plante vivace qui parfume et donne une touche orientale aux plats.

Coriandre : sur le marché, la coriandre fraîche s'appelle persil arabe ou persil chinois. La graine de coriandre entière ou en poudre parfume de nombreux mets.

Cumin : cette graine jaunâtre, oblongue et côtelée est une épice méditerranéenne. On en fait également de la liqueur appelée **Kummel.**

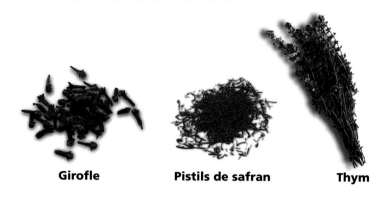

Girofle   **Pistils de safran**   **Thym**

Curcuma : ce rhizome de couleur jaune d'or possède un goût fade avec un relent de gingembre. Il renforce les préparations au curry et colore les céréales.

Curry : c'est un mélange d'épices et d'aromates composé essentiellement de piment, de curcuma et d'autres épices pulvérisées.

Fines herbes : mélange de cerfeuil, de ciboulette, d'estragon et de persil.

Gingembre : ce rizhome s'utilise frais ou séché en poudre.

Girofle : cette épice fournie par le giroflier se présente sous forme de boutons floraux séchés, parfois ébouillantés et fumés.

Graines de pavot : ce sont les semences d'une grande plante aux fleurs blanches, rose-lilas ou violettes : une touche décorative poétique.

Herbes de Provence : ce mélange se compose de thym, de romarin, de sarriette et de serpolet. Vous gagnerez toujours à l'utiliser frais.

Laurier : on utilise les feuilles du laurier-sauce.

Macis : je préfère cette résille de fibres qui enveloppe la noix de muscade à la noix elle-même.

Menthe : il existe de nombreuses variétés de ces herbes vivaces fortement odorantes que je réserve surtout à la décoration.

Paprika : c'est tout simplement du piment de Hongrie, séché au soleil puis pulvérisé.

Poivre de Séchouan : ce poivre de Chine (région de Séchouan) a un parfum particulier qui personnalisera vos plats.

Quatre-épices : ce mélange d'épices est généralement composé de poivre moulu, de muscade râpée, de girofle en poudre et de gingembre en poudre.

Raz el-hanout : c'est un mélange d'épices maghrébin.

Romarin : originaire d'un arbrisseau méditerranéen, c'est le plus aromatique des labiées. Utilisez-le toujours avec parcimonie.

Safran : c'est un stigmate d'une variété de crocus. Il assaisonne et colore.

Sarriette : c'est un aromate d'origine méridionale que j'aime aller ramasser moi-même dans l'arrière-pays niçois.

Sauge : aromate culinaire délicat, la sauge dégage une senteur prenante et légèrement camphrée. La variété à petites feuilles est la plus parfumée.

Sel : sel fin ou gros sel, le sel marin renferme des sels minéraux et oligo-éléments et ne comprend aucun additif pour le blanchir ou le fluidifier, contrairement au sel raffiné. Le sel parfume également les plats.

Tabasco : cette sauce piment est vieillie en fût de chêne.

Thym : cet aromate de base en cuisine est un antiseptique puissant. On peut également utiliser la fleur de thym fraîche mais la floraison est très courte. Les petites feuilles sont fréquemment appelées « fleur de thym ».

Tabasco

Les condiments

Vinaigre balsamique

Vinaigre de vin vieux : c'est le produit de la fermentation acétique du vin sous l'action d'un champignon : le *mycoderma aceti.*

Vinaigre de cidre : de couleur jaunâtre, il est toujours moins acide que le vinaigre de vin.

Vinaigre balsamique : ce vinaigre de vin provenant de la ville de Balzamo, en Italie, a vieilli en fût de chêne, ce qui lui donne une couleur noire. Méfiez-vous des imitations.

Moutarde à l'ancienne : sa particularité réside dans le fait qu'elle renferme de petites graines de moutarde.

Vinaigre de vin vieux

Les céréales et leurs dérivés

À la base de l'alimentation de tous les peuples, les céréales apportent santé et vitalité, de nombreux éléments indispensables à la vie et un meilleur équilibre nutritionnel. Les céréales complètes permettent une meilleure efficacité physique et intellectuelle.

Millet

Pain demi-complet

Orge mondé

Farine demi-complète : farine de blé qui a été blutée à 80 % environ.

Feuille de brick : cette fine crêpe faite de farine, d'eau et de blanc d'œuf est une spécialité des cuisines tunisienne et libanaise.

Kasha : ce sont des graines de sarrasin torréfiées.

Maïs : la graine du soleil, très riche en hydrate de carbone, est très rapidement assimilée par l'organisme.

Maïzena : fécule blanche provenant du maïs.

Millet : très riche en magnésium, en phosphore et contenant de l'acide silicique, c'est une céréale qui plaît aux enfants.

Orge mondé : cette céréale rafraîchissante indiquée en été est une graine simplement décortiquée, très riche en vitamines B3 et E, en potassium, phosphore et magnésium.

Orge perlé : c'est une graine blanchie et appauvrie en substances nutritives.

Pain demi-complet : pâte réalisée avec une farine blutée à 80 % environ.

Quinoa : cette céréale qui cuit très facilement était l'alimentation des Incas.

Boulghour fin

Seitan

Semoule de maïs

Riz long complet

Riz sauvage

Seigle à germer

Flocons cinq céréales

Riz complet, riz demi-complet, riz Basmati, riz sauvage, farine de riz : c'est la céréale la plus répandue dans le monde. Grande qualité de protéines caractérisées par une teneur exceptionnelle en acides aminés. Le riz complet contient d'importantes quantités de vitamines, notamment celles du groupe B.

Sarrasin : cette céréale qui n'appartient pas à la famille des graminées est très riche en magnésium. Elle demande une cuisson rapide.

Seigle : cette céréale panifiable est un excellent fluidifiant sanguin.

Seitan : il est préparé à partir du gluten contenu dans la farine de blé et est très riche en protéines.

Semoule de blé très fine, semoule de couscous, boulghour : le blé est la céréale qui contient le plus de gluten. Haute teneur en protéines et grande diversité de minéraux.

Semoule de maïs : ce sont des graines de maïs moulues (de grosseurs différentes suivant les recettes).

Tapioca : fécule extraite des racines de manioc.

Toutes les céréales sous forme de flocons : ce sont des graines précuites et laminées.

Les légumineuses et leurs dérivés

Les légumineuses constituent une vaste famille. Fèves, lentilles, haricots appartiennent à cette famille qui occupe une place fondamentale dans l'alimentation mondiale. Ce sont des aliments protéiques, qui associés aux céréales (1 à 2/10 du repas), sont de très bonnes sources de protéines. Luttez contre de mauvaises habitudes culinaires et ne les faites pas tremper dans du bicarbonate de soude qui provoque des pertes en vitamines B1.

Combinez la préparation des légumineuses avec des algues, car la faible teneur en calcium des premières est suppléée par les secondes.

Consommez la récolte de l'année et prévoyez des portions assez faibles (40 g environ pour un adulte). Enfin, veillez à ce qu'elles soient toujours bien cuites et pensez à les utiliser en purée.

Feuilles de popadum

Graines de soja vertes

Lentilles

Pois chiche

Feuille de popadum : c'est une galette sous forme de crêpe, faite de farine de pois chiches et de lentilles. C'est une spécialité de la cuisine indienne.

Graines de soja vertes : c'est une variété de haricots mungo. Les germes de soja proviennent de ces graines.

Lentilles : les lentilles renferment 23 % de protéines et sont très riches en fer. Il en existe plusieurs variétés :
1. vertes du Puy : à utiliser toujours de préférence.
2. corail : originaires de Turquie, elles perdent leur couleur à la cuisson dans l'eau.
3. jaunes : elles ont une peau épaisse.

Pois cassés : ce sont des graines de pois verts séchées, décortiquées et cassées en deux.

Pois chiches : ils contiennent 20 % de protéines, 6 à 10 % de lipides et une valeur vitaminique comparable à celle de l'huile de foie de morue.

Soja : c'est une légumineuse. Sa germination est toxique. Utilisée sous forme de farine, la graine est broyée, filtrée. Elle donne le jus de soja ou lait de soja qui, une fois coagulé, donnera le tofu.

Tofu : la consistance du tofu rappelle celle d'un morceau de fromage et sa qualité lui permet de fixer les parfums des préparations dans lesquelles on le cuisine. Parfaitement digeste, il est très riche en protéines et en matières grasses polyinsaturées. La même légumineuse fermentée donnera un liquide utilisé comme condiment : le **tamari**. La même fermentation avec une céréale donne le **soyu**. La partie solide de cette fermentation est le **miso**.

Tofu

Tamari

La germination

La germination réveille les principes vitaux des graines : vitamine C, vitamine B, sels minéraux, phosphore, magnésium et calcium. Les protéines des graines germées ont un meilleur coefficient digestif que celles des graines simples et de plus, la germination de courte durée facilite la digestion et la cuisson. Les céréales germées sont une mine d'or pour tous les sédentaires, les surmenés et les convalescents et sont particulièrement efficaces en période de croissance, de grossesse, de fatigue. Elles aident aussi à combattre les polluants.

Conseils d'utilisation :
– en accompagnement de salades, de crudités,
– sautées avec des légumes,
– frites avec des aromates,
– en cuisson à la vapeur,
– en association dans une farce.

Soja

Soja en germination

Les potirons
(famille des cucurbitacées)

Courges d'été - courgettes... - ou d'hiver - potiron... - , on en trouve une grande quantité de variétés sur nos marchés. D'un prix d'achat peu élevé, c'est un légume aux multiples recettes. Diurétique, émollient, il est très digeste et riche en provitamine A.

Butter nut : sa chair fondante est d'une très grande finesse, rappelant celle de l'avocat.

Courge longue de Nice : sa chair ferme s'accommode à toutes les préparations.

Jack be little : est une citrouille miniature, pas plus grosse qu'une mandarine. Elle ne se pèle pas et est un vrai plaisir pour l'œil et pour le palais.

Pâtisson : son goût rappelle celui de l'artichaut. Consommez de préférence les petits pâtissons ; leur chair est bien supérieure à celle des pâtissons adultes.

Potimarron : cet aliment complet exceptionnel connait de nombreuses utilisations en cuisine : en légume mais aussi en soupe, en purée ou en confiture.

Potiron doux vert d'Hokkaïdo : sa chair est extrêmement fine et délicate.

Les levures

1. Levure alimentaire : elle se présente sous forme de paillettes. C'est le même champignon que la levure de bière (*Saccharamyces Cereviside*), consommé après un séchage qui tue les cellules et un traitement thermique qui détruit le pouvoir de fermentation.

Levure alimentaire maltée : moins amère que la levure alimentaire, et de saveur plus agréable par son apport de malt d'orge en général, elle est d'une richesse exceptionnelle en vitamines du groupe B, B1, B2, PP, B5 et B9. Elle renferme également 40 % de protéines riches en lysines et en sels minéraux, surtout en fer.

Quelques suggestions d'utilisation :
– En poudre sur les crudités ou les salades composées.
– En guise d'aromate dans une vinaigrette ou dans un potage.
– Dans les farces, pâtés végétaux.

2. Levure de bière : c'est un micro-organisme, sous forme de champignon unicellulaire, cultivé sur de la mélasse, du lactosérum ou de la cellulose, dont l'usage est fort répandu dans le domaine alimentaire (fermentation, vinification, brasserie, etc.)

3. Levure chimique dite de pâtisserie : c'est une poudre blanche, composée de bicarbonate de soude, d'un produit acide, apte à la décomposer pour faire dégager le gaz carbonique, et d'un excipient.

**Levure
de bière**

Levure maltée

Les corps gras végétaux

Les lipides ou corps gras sont l'un des trois éléments de base de l'alimentation humaine, les deux autres étant les protides et les glucides.

La composition parfaite d'une huile pour l'assaisonnement d'une salade est la suivante :

1/4 d'olive, 1/4 de tournesol, 1/4 de soja, 1/4 de noix, avec des huiles de 1ère pression à froid.

Le corps gras est un aliment très important. Il fournit à l'organisme non seulement des éléments nutritifs, mais aussi des facteurs de protection liés au métabolisme des acides gras insaturés et polyinsaturés qu'il contient.

Graisse végétale : graisse de palme, de coprah et/ou de coco. La graisse de palme est extraite de la pulpe orangée du fruit du palmier à huile. Son point de fusion oscille entre 30 et 33 °C et ne brûle pas en dessous de 250 °C. La graisse de coprah ou de coco est surtout composée d'acides gras saturés.

Huile d'arachide : très bien équilibrée, c'est une huile idéale pour les fritures.

Huile de maïs : recommandée pour les assaisonnements, elle reste assez fragile pour les cuissons.

Huile d'olive : possédant beaucoup de vertus, c'est le plus digeste des corps gras. En cuisine, elle a ma préférence pour ses nombreuses qualités mais également comme empreinte de mes origines.

Huile de sésame : elle est très riche en lécithine.

Huile de tournesol : elle est très riche en acide linoléique.

Purée d'olives : elle est composée d'olives noires hachées, conservées avec du sel et de l'huile d'olive. Elle se trouve facilement dans le commerce mais vous pouvez la faire vous-même au mixer. Déclinez-la en ajoutant des câpres.

Huile de maïs

Huile d'olive

Olives et tapenade

Les oléagineux

Amandes fraîches

Excellent aliment pour les sportifs et les intellectuels, les oléagineux constituent une source remarquable de minéraux, de vitamines B, A et E, première qualité d'acides gras insaturés, de glucides et de protéines riches en souffre.

Amande : très riche en magnésium, sa source protéique et minérale est sa caractéristique principale.

Arachide (cacahuètes) : nutritif et énergétique, c'est l'oléagineux le plus riche en protéines.

Cerneau : on appelle ainsi la chair des noix vertes ; dans le langage courant, c'est une demi-noix sans la coquille.

Noisette : elle possède une très forte teneur en calcium, en fer, en magnésium et en potassium.

Noix : la noix, aliment idéal du système nerveux, est riche en protéines, lipides, sels minéraux et vitamines.

Noix de cajou : cette amande blanche d'une saveur douce et agréable provient de l'acajou à pomme, cultivé dans les régions tropicales.

Pâte d'arachide : mixée à consistance de crème épaisse. Quand les cacahuètes ne sont pas grillées, la pâte d'arachide est plus digeste.

Pignon : graine de la pomme de pin.

Pistache : semence du pistachier, ce fruit renferme une amande vert pâle entourée d'une pellicule rougeâtre. D'une saveur exquise, les pistaches apportent une touche de couleur originale en cuisine et pâtisserie.

Purée d'amandes : ce sont des amandes mixées à consistance de crème épaisse pour la cuisine ou la pâtisserie. L'amande est un oléagineux très intéressant car moins gras que la noix ou la noisette et très riche en minéraux.

Sésame : ces petites graines de couleur blanches, marrons ou noires sont l'aliment du cerveau, des glandes endocrines et du système nerveux par excellence.

Tahin : cette purée de sésame complète ou blanche, peut remplacer le beurre, enrichir certains plats et s'utilise pour les sauces.

Les fromages

Produit égoutté du lait caillé, le fromage est soit fermenté, soit à pâte cuite. Toujours meilleur lorsqu'ils sont faits à partir de lait cru, les fromages apportent des notes savoureuses intéressantes que j'utilise avec plaisir. Une recommandation : n'achetez pas de fromages râpés. Ils sont de piètre qualité et s'oxydent très vite.

Comté : ce fromage au lait de vache à pâte cuite, à la belle couleur blonde, est très parfumé. Son goût est bien plus prononcé que celui du gruyère auquel il est souvent comparé.

Gruyère : ce fromage de lait de vache à pâte cuite, a une couleur plus pâle et un goût plus léger que le comté. J'aime mélanger gruyère et comté pour bien équilibrer leur saveur.

Faisselle : fromage frais égoutté fait avec du lait de vache.

Fromage battu : fromage de vache, frais à pâte lisse.

Fromage de brebis : spécialité basque ou corse, c'est un fromage à pâte cuite.

Mozzarella : fromage italien fait au lait de bufflon.

Parmesan : n'achetez jamais ce fromage au lait de vache à pâte cuite, râpé. Prenez-le à la coupe et râpez-le vous-même. Le parmesan est une spécialité italienne qui s'accomode aussi bien des plats chauds que froids.

Ricotta : fromage frais au lait de brebis.

Pour compléter le lexique

Arrow-root : fécule blanche provenant de la racine d'une plante tropicale ou subtropicale : la maranta. Son goût est neutre et son aspect est translucide.

Sirop d'érable : obtenu à partir de la sève de certaines espèces d'érable, le sirop d'érable donne aux desserts un goût unique.

Lentin de chêne ou schi-ta-kis : c'est un champignon chinois aux propriétés thérapeutiques que l'on trouve frais sur les marchés toute l'année. Evitez de l'acheter déshydraté.

Pleurote : c'est un champignon qui pousse sur les ballots de paille et que l'on trouve toute l'année sur les marchés.

Gombo : ce fruit long d'une plante de la famille des malvacées est originaire d'Afrique. Le gombo doit être légèrement blanchi à l'eau salée avant d'être préparé de toute sorte de façon (braisé, bouilli, cuit à la vapeur, pané, frit...).

Raisins secs : le petit grain noir s'appelle corinthe ; le grain plus clair s'appelle smyrne ; le grain plus volumineux avec pépins s'appelle malaga.

Marasquin : c'est une liqueur à base de cerises noires sauvages dont j'apprécie la saveur en pâtisserie.

Chapelure : c'est du pain rassis ou séché au four, râpé et passé au tamis, de couleur dorée.

Lentins de chêne

Cuire une céréale

1 *Taillez en fine paysanne oignons et poireaux, hachez finement l'ail.*

2 *Chauffez l'huile d'olive et faites suer les légumes.*

3 *Remplissez de céréales, à ras bord, le récipient utilisé afin de connaitre son volume (voir étape suivante). Versez la céréale et nacrez environ 1 min (mélangez à sec avec le corps gras et la garniture aromatique).*

4 *Mouillez avec 1,5 fois le volume de la céréale d'eau froide (certaines céréales demandent à être mouillées de 2 fois le volume).*

5 *Ajoutez le bouquet garni, le sel, le Tabasco et le tamari (ou le miso).*

6 *Amenez à ébullition, couvrez d'un rond de papier et d'un couvercle. Cuisez 5 min à petite ébullition, puis 25 min à feu très doux. Retirez du feu et laissez reposer 15 min sans découvrir.*

7 *Retirez le bouquet garni, égrainez et utilisez en fonction de la recette de votre choix.*

Mes conseils : *La recette utilise le riz, mais toute autre céréale peut convenir. Le mouillement peut alors varier de 1 à 2,5 fois le volume de la céréale.*

Cuire des légumes
« doux feu »

1 *Taillez en morceaux réguliers tous les légumes.*

2 *Chauffez l'huile et rissolez les oignons, les poireaux, le céleri et les carottes 5 min à feu vif.*

3 *Assaisonnez de sel, Tabasco et herbes de Provence.*

4 *Ajoutez potimarron et courgettes, rissolez 3 min.*

5 *Versez 1/2 verre d'eau.*

6 *Couvrez d'un rond de papier et d'un couvercle et laissez cuire 20 min à petit feu.*

7 *Posez des glaçons ou versez de l'eau sur le couvercle, pour favoriser la formation de gouttelettes à l'intérieur.*

8 *Quand les légumes sont cuits, servez tel quel en accompagnement d'une céréale ou mixez pour réaliser une purée.*

Mon conseil : *la réalisation d'une cuisson « doux feu » se fait toujours au départ avec des oignons, et/ou des poireaux et/ou du céleri, qui forment la garniture aromatique. Ensuite, suivant la saison, on ajoute les légumes de son choix.*

1 Cébettes : *j'utilise beaucoup ces oignons nouveaux, que l'on trouve en abondance sur notre marché.*

2 Courgettes : *toute l'année, sur les marchés, ma préférence va à la courgette trompette ou courgette violon (photo ci-contre).*

Cuire à l'anglaise

1 *Chauffez un grand volume d'eau à ébullition et salez.*

2 *Plongez le légume à cuire (sans jamais couvrir, toujours à vive ébullition).*

3 *Vérifiez l'appoint de cuisson, qui doit toujours rester* al dente.

4 *Égouttez et servez aussitôt, ou précipitez le légume cuit dans un bain d'eau très froide pour stopper la cuisson.*

Sauté façon chop suey

1 *Émincez de biais, le plus fine-ment possible, tous les légumes.*

2 *Chauffez la poêle avec un peu d'huile.*

3 *Précipitez les légumes mélangés par petites quantités.*

4 *Remuez constamment et faites sauter.*

5 *Assaisonnez de sel et gingembre en poudre.*

6 *Déglacez avec un mélange (2/3 d'eau et 1/3 de tamari) et versez-en 2 cuillerées à soupe.*

7 *Réunissez au fur et à mesure dans une casserole les légumes qui doivent rester très fermes, presque croquants.*

Velouté aux aromates

1 *Émincez les éléments aroma-tiques.*

2 *Faites fondre le beurre.*

3 *Ajoutez la farine.*

4 *Cuisez à très petit feu pendant 5 min sans coloration et refroi-dissez.*

5 *Mettez l'eau à bouillir avec les éléments aromatiques et les épices.*

6 *Versez le liquide bouillant sur le roux froid petit à petit, en remuant constamment avec un fouet sur le feu vif.*

7 *Amenez à ébullition, ajoutez sel, Tabasco et tamari. Cuisez 20 min à petit feu.*

8 *Passez au chinois ou à la passoire étamine.*

Tomates concassées

1 *Retirez les pédoncules des tomates.*

2 *Plongez les tomates dans l'eau bouillante 10 secondes environ, puis dans l'eau glacée.*

3 *Pelez les tomates, coupez-les en deux dans le sens de l'équateur, pressez pour épépiner.*

4 *Concassez (hachez grossièrement).*

5 *Hachez l'ail, ciselez l'oignon et confectionnez le bouquet garni.*

6 *Chauffez un peu d'huile d'olive et faites suer l'oignon et l'ail.*

7 *Ajoutez les tomates et le bouquet garni.*

8 *Assaisonnez de sel, de sucre, de tamari, de Tabasco et d'herbes de Provence.*

9 *Suivant la saison, pour donner plus de couleur et de parfum, ajoutez de la tomate concentrée.*

10 *Cuisez à couvert avec un rond de papier, environ 15 min.*

11 *Pour donner plus de velouté à la concassée, versez, en remuant constamment, de l'arrow-root dilué avec très peu d'eau.*

Les tailles

Brunoise

1 *Détaillez les légumes en tranches régulières sur 3 mm d'épaisseur environ (utilisation possible de la mandoline).*

2 *Coupez les tranches dans le sens de la longueur en formant des bâtonnets d'une largeur de 3 mm.*

3 *Regroupez les bâtonnets au même niveau, et détaillez-les afin de réaliser des cubes très réguliers.*

Paysanne

Sélectionnez les légumes en bâtonnets et émincez-les finement.

Mirepoix

Sélectionnez les légumes en gros bâtonnets, regroupez-les au même niveau et détaillez-les afin d'obtenir de gros cubes.

Lever à la cuillère à légumes

Tenez fermement le légume, enfoncez la cuillère par oscillations, dégagez la boule en fin de rotation.

Ciseler oignons ou échalotes

1 *Incisez verticalement le demi-oignon, le côté tige posé vers vous, en évitant de couper la partie racine qui maintient l'ensemble des peaux.*

Julienne

1 *Tronçonnez les morceaux de légumes et détaillez en tranches fines de 1 mm d'épaisseur (utilisation possible de la mandoline).*

2 *Puis, incisez horizontalement sur 4 ou 5 niveaux.*

2 *Superposez 2 ou 3 tranches et émincez finement dans le sens de la longueur, afin d'obtenir des bâtonnets très fins.*

3 *Émincez finement, afin de détailler des cubes minuscules.*

Lier avec un roux

Donner une consistance plus ou moins épaisse à un liquide, grâce à un mélange cuit en parts égales de beurre ou d'huile et de farine. La proportion peut varier de 40 à 140 g de farine par litre de liquide, suivant la consistance souhaitée.

1 *Faites fondre le beurre.*

2 *Ajoutez la farine.*

3 *Cuisez à très petit feu 5 min sans coloration.*

4 *Versez petit à petit le liquide sur le roux, en remuant constamment pour éviter la formation de grumeaux.*

5 *Remuez jusqu'à ébullition ; cuisson 20 min.*

Lier avec de la fécule

Donner une consistance plus ou moins épaisse à un liquide, grâce à une dilution de fécule versée dans le liquide bouillant, assurant une liaison immédiate. La proportion peut varier de 10 à 40 g au litre.
Les fécules idéales restent le kouzu et l'arrow-root.

1 *Amenez le liquide à ébullition.*

2 *Diluez la fécule dans un liquide froid (2 fois le volume de la fécule).*

3 *Versez la fécule diluée dans le liquide bouillant en remuant constamment.*

4 *La liaison est très rapide ; vérifiez l'aspect du produit (pour notre démonstration : 20 g d'arrow-root pour 1/2 litre de liquide).*

Nori pour sushi

1 *Grillez les feuilles de nori sur la flamme.*

2 *Posez la partie lisse sur un papier d'aluminium.*

3 *Répartissez la farce.*

4 *Roulez.*

5 *Pressez les extrémités.*

6 *Refroidissez et détaillez en tranches.*

Utilisation des algues

Salade de la mer

Incorporez dans une sauce, un beurre ou une farce.

Iziki

Réhydratez les algues. Procédez à l'identique pour la dulce rouge

Spaghetti de la mer

Faites-les frire pour compléter des présentations ou pour grignoter en apéritif.

Dulce rouge
Laitue verte
Iziki

Après réhydratation, consommez en garniture sur une salade ou des préparations froides.

Kombu

Cuisez dans un bouillon. Peut servir d'enveloppe pour différentes farces ou émincé dans des préparations.

Les Potages

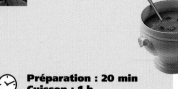

Consommé de légumes aux perles du Japon

pour 4 personnes

**Préparation : 20 min
Cuisson : 1 h**

Ingrédients

BOUILLON

100 g de carottes

200 g de poireaux

50 g de céleri

2 gousses d'ail

100 g d'oignons

20 g de miso (pâte de soja fermenté)

1 bouquet garni

2 clous de girofle

CLARIFICATION

80 g de carottes

100 g de poireaux

50 g de céleri

200 g de tomates bien mûres

2 blancs d'œufs

1 cuil. à soupe de tamari

GARNITURE

100 g de tapioca

4 branches de cerfeuil

Coupez les oignons en deux et posez-les à plat dans une poêle brûlante sans matière grasse : ils doivent noircir.

Épluchez et lavez tous les légumes. Émincez finement les carottes, poireaux et céleri.

Dans une grande marmite, mettez les légumes du bouillon. Ajoutez le bouquet garni, l'ail, les oignons brûlés, le miso, les clous de girofle. Versez 2 litres et demi d'eau. Faites cuire 30 min à petit feu et passez le bouillon au chinois.

Mixez tous les ingrédients de la clarification et débarrassez-les dans une cocotte. Versez petit à petit le bouillon dans la cocotte, en faisant chauffer la préparation et en remuant doucement jusqu'à ébullition. Baissez le feu et faites cuire lentement environ 30 min (une croûte se forme en surface et le bouillon s'échappe au milieu, comme la lave d'un volcan).

Faites cuire le tapioca à l'anglaise. Égouttez-le. Préparez des pluches de cerfeuil. Passez le consommé à travers un linge. Rectifiez l'assaisonnement.

Servez le consommé accompagné d'une ou deux cuillerées à soupe de tapioca et quelques pluches de cerfeuil par assiette.

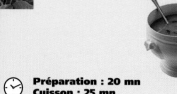

Crème de potimarron aux quenelles fines herbes

pour 4 personnes

Préparation : 20 mn
Cuisson : 25 mn

Ingrédients

400 g de potimarron

3 gousses d'ail écrasées

100 g d'oignons émincés

1 pincée d'herbes de Provence

1 feuille de sauge

2 cuil. à soupe d'huile d'olive

1 cuil. à soupe de tamari

sel, Tabasco

10 cl de crème fraîche

FARCE

5 g de sel

100 g de beurre

150 g de farine

5 œufs

1 cuil. à café de persil haché et de cerfeuil haché

1/2 cuil. à café d'estragon haché

1 cuil. à café de ciboulette émincée

DÉCOR

4 jacks be little (mini-citrouille)

Préparez la crème : faites suer dans l'huile d'olive, les oignons, l'ail, les herbes de Provence et la sauge. **L**avez et retirez les graines du potimarron sans l'éplucher. Émincez-le et mélangez-le aux oignons légèrement colorés. Versez 1 demi-litre d'eau, le tamari, 4 gouttes de Tabasco et le sel. Faites cuire à petite ébullition 20 min.

Mixez, passez au chinois très fin et ajoutez la crème fraîche. Rectifiez l'assaisonnement.

Préparez la farce : faites bouillir 1 quart de litre d'eau avec du sel et le beurre coupé en morceaux. **P**récipitez la farine tamisée, mélangez bien et desséchez la pâte. Retirez du feu, débarassez dans un saladier et incorporez les œufs un par un. Ajoutez les herbes, vérifiez l'assaisonnement et pochez des petites quenelles dans l'eau frémissante. Retirez-les et immergez-les dans de l'eau froide. Égouttez et mélangez avec la crème de potimarron.

Cuire les jacks à l'anglaise, découpez les chapeaux, évidez les graines et garnissez de crème, servez avec les chapeaux.

Les Entrées Froides

Préparation : 45 min
Cuisson : 35 min

Ingrédients

PÂTE BRISÉE

250 g de farine

125 g de beurre

1 œuf, 5 g de sel

GARNITURE

5 cl d'huile d'olive

200 g de poireaux

100 g d'oignons

200 g de courgettes

1 pincée d'herbes
de Provence

1 paquet de vert de
blettes blanchies

1 cuil. à soupe
de persil haché

1 cuil. à soupe
de basilic haché

2 œufs

40 g de parmesan
râpé

4 gouttes de
Tabasco, sel

DORURE

2 cuil. à soupe d'eau

1 jaune d'œuf

DÉCOR

20 g de sésame

Tourte de blettes

pour 4 personnes

Préparez la pâte brisée : abaissez et foncez un moule à tarte en laissant déborder la pâte sur 3 cm environ. Réservez avec le reste de pâte au réfrigérateur.

Taillez en paysanne les poireaux, les oignons et les courgettes. Pressez fortement les verts de blettes et hachez-les.

Dans une cocotte, faites chauffer la moitié de l'huile d'olive, ajoutez-y les oignons et les poireaux. Étuvez 10 min. Chauffez l'autre moitié de l'huile d'olive dans une poêle et faites sauter vivement les courgettes. Ajoutez dans la cocotte, retirez du feu. Ajoutez les blettes, le persil, le basilic, les herbes de Provence, le sel, le Tabasco, le parmesan et les œufs battus en omelette. Mélangez et rectifiez l'assaisonnement.

Étalez toute la farce dans la tarte. Avec le reste de la pâte, abaissez un cercle légèrement plus grand que la circonférence du moule à tarte. Posez-le sur la farce, soudez et chiquetez les bords. Badigeonnez toute la surface avec la dorure et parsemez de graines de sésame. Faites cuire au four préchauffé à 180 °C (th. 6) pendant 35 min.

Ingrédients

80 g de boulghour

300 g de tomates
bien mûres

200 g de
concombres

60 g de céleri
branche

100 g de fenouil

100 g de carottes

80 g de chou vert

100 g de courgettes

ASSAISONNEMENT

4 cuil. à soupe
de jus de citron

sel

6 gouttes de
Tabasco

1 cuil. à soupe
de tamari

1 cuil. à café
de cumin en poudre

1 cuil. à café
de persil haché

1 cuil. à café
de cerfeuil

1 cuil. à café de
ciboulette émincée

2 cuil. à soupe
de cébette
finement émincée

10 cl d'huile d'olive

Taboulé

pour 4 personnes

Mondez, épépinez et détaillez les tomates en petits dés. Épluchez et égrainez les concombres et émincez-les en paysanne. Épluchez le céleri branche et émincez-le en paysanne. Triez, lavez et émincez en paysanne le fenouil, les carottes, le chou vert et les courgettes. Réunissez tous ces légumes dans un grand saladier et ajoutez-y le boulghour.

Dans un bol, réunissez tous les éléments de l'assaisonnement et mélangez-les. Versez sur les légumes et le boulghour. Remuez bien pour que le mélange se fasse parfaitement. Couvrez le saladier d'un papier film et entreposez au réfrigérateur toute une nuit.

Servez avec quelques feuilles de salade.

Tomates farcies au caviar d'aubergines

pour 4 personnes

Préparation : 30 min
Cuisson : 30 min

Coupez les aubergines en deux dans le sens de la longueur, incisez-les, arrosez-les d'un filet d'huile d'olive et faites-les cuire 30 min au four préchauffé à 180 °C (th. 6).

Retirez ensuite la pulpe des aubergines et hachez-la finement au couteau. Débarrassez-la dans un saladier et ajoutez-y l'oignon, le tahin, le citron, le basilic. Assaisonnez avec le sucre, le sel, le Tabasco et le tamari. Mélangez au fouet en incorporant l'huile d'olive. Vérifiez l'assaisonnement (vous pouvez passer 1 min de mixeur plongeant pour mieux homogénéiser cette préparation).

Retirez le chapeau des tomates, enlevez le jus et les pépins et coupez légèrement le fond pour une meilleure assise dans l'assiette. Salez l'intérieur des tomates. À l'aide d'une poche, farcissez-les généreusement et refermez-les avec les chapeaux.

Disposez 3 tomates par assiette et décorez avec quelques feuilles de basilic.

Ingrédients

FARCE

3 ou 4 aubergines (800 g)

1 filet d'huile d'olive

50 g d'oignon blanc finement ciselé

1 cuil. à soupe de basilic

2 cuil. à soupe de tahin

3 cuil. à soupe de jus de citron

5 cl d'huile d'olive

1 cuil. à soupe de tamari

10 g de sucre

sel, 4 gouttes de Tabasco

GARNITURE

12 petites tomates de même calibre

1 bouquet de basilic

Perles de fruits à l'agar-agar

pour 4 personnes

Préparation : 30 min
Cuisson : 30 min

Ingrédients

12 boules de melon
de pastèque,
de granny-smith,
de raisins blancs,
et de raisins noirs

50 g de riz complet
cuit à l'anglaise

2 cuil. à soupe
d'huile d'olive

50 g de carotte

50 g de céleri-rave

50 g de chou-fleur

50 g de haricots verts

50 g de courgette

150 g de fromage
blanc battu

le jus de 1 citron

1 cuil. à café de curry

1 sachet
d'agar-agar (2 g)

1 cuil. à café
de tamari

sel, Tabasco

SAUCE

2 cuil. à soupe
d'huile d'olive

1 petit poireau
émincé

2 gousses d'ail
écrasées

100 g de courgettes
émincées

sel, Tabasco

1 cuil. à café
de tamari

5 cl d'huile d'olive

Levez toutes les boules de fruits à l'aide d'une cuillère parisienne et épluchez les raisins. Détaillez en fine brunoise la carotte, le céleri rave, le chou-fleur et la courgette. Faites cuire les haricots verts très *al dente*, et détaillez-les en petits cubes. **M**élangez le tout.

Dans une petite poêle, chauffez l'huile d'olive et faites sauter vivement la brunoise de légumes, égouttez et refroidissez.

Mélangez les légumes et le riz bien cuit et bien pressé. Liez le tout avec le fromage blanc. Assaisonnez de sel, Tabasco, tamari, jus de citron et le curry. Diluez l'agar-agar dans 5 cl d'eau, portez à ébullition et mélangez à la préparation.

Garnissez 4 ramequins et laissez prendre au réfrigérateur.

Préparez la sauce : dans une cocotte, chauffez les 2 cuillerées à soupe d'huile d'olive, ajoutez le poireau et l'ail. Faites revenir 5 min, ajoutez les courgettes, sel, Tabasco et le tamari. Couvrez d'un rond de papier et faites cuire à basse température environ 25 min. Retirez du feu, mixez en incorporant les 5 cl d'huile d'olive.

Salade composée aux croquettes de noix

pour 4 personnes

Préparation : 20 min
Cuisson : 25 min

Ingrédients

4 feuilles de laitue, de trévise et de batavia

1 endive

CROQUETTES

5 cl d'huile d'olive

60 g d'oignon ciselé

1 gousse d'ail hachée

150 g de cerneaux de noix

150 g de pain demi-complet

1 cuil. à soupe de persil et de basilic hachés

1 œuf

50 g de fromage blanc égoutté

1 cuil. à soupe de levure maltée

sel, 4 gouttes de Tabasco

CUISSON

80 g de graisse végétale

SAUCE

2 cuil. à soupe de vinaigre balsamique

sel, 4 gouttes de Tabasco

5 cl d'huile de noix

1 cuil. à soupe de ciboulette émincée

Lavez les feuilles de salade et l'endive, détaillez-les en lanières et mélangez-les. Faites suer dans l'huile d'olive très chaude l'oignon avec l'ail. Retirez du feu et mélangez avec les cerneaux de noix, le pain coupé en petits morceaux, le basilic, le persil, l'œuf, le fromage blanc et la levure maltée. Versez dans un mixeur, assaisonnez de sel et de Tabasco. Mixez jusqu'à ce que le mélange soit bien homogène et débarrassez dans un saladier.

Dans une poêle, faites chauffer la graisse végétale et rangez côte à côte des petits tas de farce aux noix à l'aide d'une cuillère. Dès que la poêle est remplie, à l'aide de 2 fourchettes, tournez les croquettes afin de dorer les 2 faces, puis débarrassez sur un papier absorbant. Renouvelez l'opération jusqu'à épuisement de la farce.

Répartissez toutes les croquettes sur les salades.

Mélangez tous les éléments de la sauce et arrosez-en les assiettes garnies.

Bouquet de chou-fleur sauce canaille

pour 4 personnes

Préparation : 15 min
Cuisson : 15 min

Détaillez le chou-fleur en bouquets d'environ 30 g pièce. Lavez-les puis faites-les cuire dans l'eau bouillante salée, en prenant soin de les garder un peu *al dente*. La cuisson se fera 20 min avant de servir pour conserver le chou-fleur tiède.

Préparez la sauce canaille : dans un saladier, réunissez le jus de 1 citron, le sel, le tamari, le Tabasco, toutes les herbes et les tomates. Versez l'huile, remuez délicatement et rectifiez l'assaisonnement.

Dressez 4 bouquets de chou-fleur dans chaque assiette, décorez avec quelques feuilles de basilic et servez en arrosant le chou-fleur de sauce canaille.

Ingrédients

1 chou-fleur
d'environ 1 kg

gros sel

SAUCE CANAILLE

300 g de tomates
mondées, épépinées
et détaillées
en petits cubes

1 citron

1 cuil. à café
d'herbes de
Provence

1 cuil. à soupe
de basilic haché

1 cuil. à soupe de
ciboulette émincée

1 cuil. à café
de persil

1 cuil. à café
de cerfeuil haché

5 cl d'huile d'olive

1 cuil. à soupe
de tamari

4 gouttes de
Tabasco

sel

DÉCOR

1/2 paquet de basilic

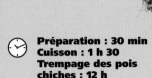

Pois chiches aux piments doux et à la menthe

pour 4 personnes

⏱ **Préparation : 30 min
Cuisson : 1 h 30
Trempage des pois
chiches : 12 h**

Ingrédients

CUISSON
DES POIS CHICHES

200 g de pois chiches

1 oignon

1 carotte

1/2 poireau

1 bouquet garni

1 petite branche
de sauge

3 gousses d'ail

gros sel

SAUCE

1 grosse pièce
de poivron rouge

1 grosse pièce
de poivron jaune

1 filet + 10 cl
d'huile d'olive

1 gousse d'ail
hachée finement

1 cébette
finement émincée

1 cuil. à café
d'herbes
de Provence

1 cuil. à soupe de
coriandre en poudre

1 cuil. à café
de cumin en poudre

1 cuil. à café
de menthe hachée

le jus de 1 citron

2 cuil. à café
de tamari

sel, 4 gouttes
de Tabasco

La veille, mettez les pois chiches à tremper.

Le jour même, préchauffez le four à 180 °C (th. 6). Faites cuire les poivrons rouges et jaunes entiers arrosés d'un filet d'huile d'olive, 20 min. Retirez-les, laissez reposer sous papier film pendant 30 min, puis épluchez, égrainez et détaillez-les en petits cubes.

Portez à ébullition une casserole d'eau froide contenant les pois chiches. Dès l'ébullition, retirez l'écume, ajoutez toute la garniture aromatique et les légumes et salez. Maintenez à petite ébullition jusqu'à l'appoint de cuisson (il faut environ 1 h 30). Retirez la garniture aromatique et égouttez les pois chiches.

Préparez la sauce : chauffez l'huile et faites-y infuser l'ail, la cébette, la coriandre et le cumin. Ajoutez le sel, le jus de citron, le tamari, le Tabasco, les herbes de Provence, la menthe et les brunoises de poivrons.

Ajoutez les pois chiches bien égouttés, rectifiez l'assaisonnement.

Servez avec une petite salade et des feuilles de menthe.

Sushi d'asperges mimosa

pour 4 personnes

**Préparation : 35 min
Cuisson : 30 min
Réfrigération : 1 h**

Ingrédients

2 œufs durs

2 plaques de nori

22 asperges bien vertes

2 cuil. à soupe d'huile d'olive

3 gouttes de Tabasco

1 pincée de gingembre

1/2 cuil. à café de tamari

30 g de tapioca

1 sachet d'agar-agar (2 g)

120 g de crème fraîche

6 feuilles de chicorée frisée

1 tomate bien rouge

SAUCE

100 g de crème fouettée

sel, Tabasco

1 cuil. à café de jus de citron

1 pincée de safran

2 gouttes de tamari

1 cuil. à café d'échalote finement ciselée

Passez les plaques de nori sur la flamme, jusqu'à ce qu'elles prennent une couleur verte.

Triez et lavez les asperges. Faites-les cuire dans une poêle à petit feu et sans coloration, en les tournant régulièrement. Elles doivent rester un peu croquantes (environ 15 min de cuisson).

Portez à ébullition 1 quart de litre d'eau contenant l'agar-agar, le Tabasco, le gingembre et le tamari, puis versez le tapioca en pluie en remuant. Faites cuire 5 min à feu doux, retirez du feu, couvrez et laissez gonfler 5 min. Versez le tapioca dans un saladier. Fouettez la crème pour l'épaissir et incorporez-la au tapioca froid.

Sur un rectangle de papier d'aluminium plus grand que la plaque de nori, posez une feuille de nori, la partie rugueuse vers vous. Étalez une couche de tapioca et posez par-dessus 5 asperges à intervalles réguliers. Enroulez la feuille de nori sur elle-même, puis enveloppez de papier d'aluminium et pressez les extrémités. Laissez 1 h au réfrigérateur.

Triez et lavez les feuilles de chicorée. Passez séparément les blancs et les jaunes d'œufs durs au tamis. Mondez la tomate et détaillez-la en bâtonnets.

Réunissez tous les ingrédients de la sauce et présentez suivant le modèle de la photo.

Brochettes de melon et pastèque au raïta de curry

pour 4 personnes

Préparation : 25 min

Ingrédients

4 tranches de melon

4 tranches
de pastèque

4 belles feuilles
de laitue

4 branches de
coriandre fraîche

8 brochettes
en bambou

RAÏTA

1 yaourt

30 g d'oignon

50 g de tomate

50 g de pomme
fruit

50 g de banane

20 g de raisins secs
trempés

10 g de noix de
coco râpée

50 g de concombre

sel

1 cuil. à café
de curry

1/2 cuil. à café
de gingembre
en poudre

1 pincée
de cardamome

Retirez les pépins et l'écorce des tranches de melon et de pastèques. Coupez chaque tranche en 4 morceaux. Enfilez 4 morceaux sur chaque brochette en alternant les couleurs.

Découpez en brunoise l'oignon, la tomate mondée et épépinée, la pomme, la banane et le concombre pelé et égrainé.

Préparez le raïta : versez le yaourt dans un saladier, ajoutez toutes les brunoises de fruits et de légumes, le sel, les épices, les raisins préalablement égouttés et la noix de coco. Mélangez et rectifiez l'assaisonnement.

Présentez sur chaque assiette, 2 brochettes de fruits et une feuille de laitue garnie de raïta au curry. Décorez d'une branche de coriandre.

Caroline à la mousse de céleri

pour 4 personnes

Préparation : 40 min
Cuisson : 30 min
Réfrigération : 1 h

Ingrédients

PÂTE À CHOUX

100 g de beurre

150 g de farine

4 œufs

1 pincée de sel

MOUSSE

30 g de beurre

50 g de poireau

1 gousse d'ail

35 g de farine

400 g de lait

250 g de céleri branche

1 bouquet garni

sel

4 gouttes de Tabasco

1 cuil. à soupe de tamari

2 sachets d'agar-agar (4 g)

20 cl de crème fouettée

DÉCOR

4 branches de cœur de céleri

1 pomme verte granny smith

12 cerneaux de noix

20 tiges de ciboulette

paprika en poudre

Préparez la pâte à choux : faites bouillir 1 quart de litre d'eau avec le sel et le beurre. Quand le beurre est fondu, baissez le feu et versez d'un seul coup la farine tamisée. Desséchez avec une spatule en bois quelques secondes sur feu vif, puis retirez du feu. Débarrassez la pâte dans un saladier et incorporez les œufs un à un. Couchez les choux sur une plaque beurrée en formant 20 petits éclairs.

Préparez la mousse : dans une cocotte, faites chauffer le beurre et mettez à suer le blanc de poireau émincé et l'ail écrasé environ 5 min. Ajoutez la farine et remuez de temps en temps (la farine ne doit pas se colorer). Ajoutez le lait et amenez à ébullition en remuant constamment avec un fouet. Ajoutez le céleri branche émincé, le bouquet garni le sel, le Tabasco et le tamari. Faites cuire environ 20 min, passez au chinois étamine, ajoutez l'agar-agar dilué dans 3 cuillerées à soupe d'eau et donnez 5 min de petite ébullition. Faites refroidir à température.

Incorporez la crème fouettée à la mousse, rectifiez l'assaisonnement et réservez au réfrigérateur 1 heure.

Retirez les chapeaux des petits éclairs. Avec une poche, garnissez-les de mousse et remettez les chapeaux. Présentez avec une branche de céleri, des tranches de pomme verte et les cerneaux de noix, la ciboulette et le paprika.

Préparation : 40 min
Cuisson : 15 min

Ingrédients

CRÈME ANGLAISE

1/4 l de lait

3 jaunes d'œufs

2 sachets d'agar-agar

2 avocats bien mûrs

Tabasco

tamari

1 cuil. à soupe
de jus de citron

sel

CONCASSÉE DE TOMATES

2 cuil. à soupe
d'huile d'olive

50 g d'oignon
finement ciselé

300 g de tomates
mondées, épépinées
et concassées

1 cuil. à café
de sucre

Tabasco

tamari

sel

1 cuil. à café
d'arrow-root dilué
dans 5 cl d'eau

GARNITURE

9 g d'algues

12 branches
de cerfeuil

Parfait d'avocat aux algues

pour 4 personnes

Réhydratez séparément les algues : 3 g d'iziki, 3 g de spaghetti de la mer et 3 g de salade de la mer.

Préparez la crème anglaise : chauffez le lait avec l'agar-agar préalablement mélangé au fouet, et versez-le petit à petit sur les jaunes d'œufs. Remuez constamment avec une spatule en bois.

Quand la crème nappe bien la spatule, retirez très vite du feu et passez au chinois étamine (attention ! il ne faut surtout pas d'ébullition). Refroidissez rapidement puis mixez cette crème avec 2 avocats, le jus de citron et assaisonnez de sel, 4 gouttes de Tabasco et 1 cuil. à café de tamari.

Garnissez 4 ramequins et réservez au réfrigérateur.

Préparez la concassée de tomates : dans une cocotte, chauffez l'huile d'olive, faites blondir les oignons, ajoutez les tomates, 4 gouttes de Tabasco, 1 cuil. à café de tamari, le sel et le sucre. Donnez 5 min de petite ébullition, puis liez avec l'arrow-root. Faites cuire à nouveau 5 min. Débarrassez pour refroidir rapidement.

Égouttez les algues, faites frire les spaghetti de la mer en grande friture (180 °C) et égouttez-les sur du papier absorbant.

Dressez suivant le modèle de la photo avec les algues en garniture et décorez avec les branches de cerfeuil.

Salade d'endives aux marrons

pour 4 personnes

🕐 **Préparation : 15 min**
Cuisson : 20 min

Ingrédients

2 endives

1 poignée
de chicorée frisée

200 g de petits
oignons

250 g de pommes
reinettes

150 g de marrons
au naturel sous vide

10 g de beurre

1 cuil. à soupe
d'huile d'olive

1 pincée de sucre

1 pincée de sel

SAUCE

1 cuil. à café de
moutarde
à l'ancienne

1 cuil. à soupe de
vinaigre de vin vieux

1 cuil. à soupe de
ciboulette émincée

1 cuil. à soupe
de cerfeuil haché

1 cuil. à soupe
de persil haché

4 cuil. à soupe
d'huile d'olive

1 cuil. à café
de tamari

sel, Tabasco

Réunissez tous les éléments de la sauce.

Épluchez les petits oignons, puis répartissez-les dans une petite cocotte. Ajoutez le sel, le sucre, le beurre et 5 cuillerées à soupe d'eau. Couvrez d'un rond de papier et du couvercle et faites cuire à petite ébullition 20 min.

Épluchez les pommes, détaillez-les en quartiers et faites-les sauter à la poêle avec une cuillerée à soupe d'huile d'olive.

Ajoutez les marrons, faites-les sauter, puis ajouter les oignons. Maintenez au chaud à petit feu.

Pour dresser le plat, rangez les feuilles d'endives en étoile, posez un bouquet de chicorée frisée et répartissez dessus la préparation aux oignons, pommes reinette et marrons. Nappez de sauce.

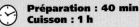

Terrine de tofu aux petits légumes

pour 4 personnes

⏱ **Préparation : 40 min**
Cuisson : 1 h

Préparez la terrine : confectionnez une duxelle très sèche avec 2 cuil. à soupe d'huile d'olive, les oignons finement ciselés et les champignons hachés.

Mixez le tofu avec les œufs, la farine, 1 cuil. à café de curry et le lait de soja. Incorporez à la spatule en bois dans le tofu mixé, la duxelle, 1 cuil. à soupe de persil, de basilic hachés, de graines de sésame et les carottes. Salez.

Huilez l'intérieur d'un moule à cake, garnissez de la préparation et faites cuire 1 heure à four préchauffé à 160 °C (th. 5).

Préparez les légumes : tournez les artichauts et coupez-les en 8 morceaux. Détachez des bouquets de chou-fleur de la grosseur des oignons. Tronçonnez les blancs de poireaux.

Dans une cocotte, chauffez l'huile d'olive et faites-y rissoler oignons et poireaux 5 min. Ajoutez les autres légumes. Mélangez et faites cuire 5 min à couvert. Ajoutez le vin blanc, le jus de citron, le bouquet garni, 1 cuil. à café de tamari, le sel, 1 goutte de Tabasco et 1 cuil. à soupe de coriandre en poudre. Faites cuire à couvert 5 min.

Servez autour des tranches de la terrine.

Ingrédients

DUXELLE

huile d'olive

80 g d'oignon

100 g de champignons de Paris

TERRINE

250 g de tofu

4 œufs

50 g de farine

curry

50 g de lait de soja

persil et basilic

graines de sésame

100 g de carottes râpées

PETITS LÉGUMES

5 cl d'huile d'olive

100 g d'oignons garniture

100 g de blanc de poireaux

150 g de petits champignons

150 g de chou-fleur

2 artichauts

10 cl de vin blanc

1 cuil. à soupe de jus de citron

1 bouquet garni

tamari

Tabasco, sel

coriandre en poudre

Les Entrées Chaudes

Préparation : 30 min
Cuisson : 40 min

Ingrédients

200 g de lentilles

20 g de céleri branche

80 g de poireau

50 g de carotte

50 g d'oignon

1 bouquet garni

2 clous de girofle

2 feuilles de sauge

1 branche de sarriette

gros sel

SAUCE ET GARNITURE

5 cl de bon vinaigre de cidre

5 cl d'huile d'olive

4 petites pommes de terre

50 g d'oignon sémiane

8 branches de persil frisé

1 cuil. à café de tamari

sel fin, Tabasco

Salade de lentilles au vinaigre de cidre

pour 4 personnes

Dans une grande cocotte, versez les lentilles et ajoutez 2 litres d'eau avec toute la garniture aromatique, la carotte entière et les oignons coupés en quatre. Attachez en bouquet, le céleri et le poireau, piquez les clous de girofle sur un morceau d'oignon. Ajoutez bouquet garni, sauge et sarriette.

Amenez à ébullition, écumez et faites cuire à petit feu jusqu'à ce que les lentilles soient bien fondantes. Il faut environ 40 min.

Faites cuire les pommes de terre en robe des champs 20 min environ. Retirez toute la garniture aromatique et gardez la carotte. Égouttez les lentilles, versez-les dans un saladier et assaisonnez avec le mélange sel, Tabasco, tamari, vinaigre et huile d'olive.

Répartissez les lentilles dans les assiettes et présentez avec la carotte émincée, les pommes de terre épluchées et émincées. Mettez par-dessus de fines tranches d'oignons sémiane.

Servez chaud avec quelques bouquets de persil frisé.

Galette aux légumes croquants

pour 4 personnes

Confectionnez la pâte à crêpes : dans un saladier, mettez la farine en fontaine. Ajoutez au milieu le sel, 1 pincée de noix de muscade, l'huile et les œufs. Versez le lait petit à petit. Mélangez avec un fouet, passez la pâte au chinois étamine et laissez reposer 30 min.

Préparez la garniture : détaillez les légumes en brunoise. Dans une cocotte, faites chauffer l'huile, ajoutez tous les légumes, le sel et 1 pincée d'herbes de Provence. Cuisez 5 min à feu vif avec un rond de papier intercalé entre le récipient et le couvercle. Retirez le couvercle, baissez le feu et mélangez. Laissez cuire encore 3 min à découvert. Ajoutez la crème fraîche, amenez à ébullition, délayez l'arrow-root avec un peu d'eau froide et versez sur la préparation en ébullition, en remuant constamment. Retirez du feu. Rectifiez l'assaisonnement.

Préparez la sauce : donnez une ébullition à la crème avec le jus de citron, 1 cuil. à café de tamari, 4 gouttes de Tabasco et le sel.

Confectionnez des crêpes fines. Farcissez-les directement dans les assiettes, pliez-les en deux. Faites un cordon de sauce et décorez avec les fines herbes.

Préparation : 20 min
Cuisson : 25 min
Repos de
la pâte : 30 min

Ingrédients

CRÊPES

125 g de farine
de sarrasin

2 œufs

30 cl de lait

noix de muscade

2 cuil. à soupe
d'huile d'olive

1 pincée de sel

GARNITURE

5 cl d'huile d'olive

80 g de blanc
de poireau

80 g de carotte

50 g fenouil

80 g de potimarron

50 g d'échalote

herbes de Provence

1 cuil. à café
d'arrow-root

SAUCE

25 cl de crème
fraîche

le jus de 1/2 citron

tamari

sel, Tabasco

Décor

4 branches
de cerfeuil
et de persil plat

8 brins de ciboulette

**Préparation : 25 min
Cuisson : 20 min**

Ingrédients

2 pamplemousses

200 g de tomates
en brunoise

250 g de
champignons de
Paris en brunoise

80 g de grains de
maïs au naturel
égouttés

40 g de semoule
de maïs

1/2 l de lait

40 g de beurre

40 g de gruyère râpé

40 g de farine

1 cuil. à soupe
de curry

sel, Tabasco,
noix de muscade

SAUCE PAMPLEMOUSSE
ET GARNITURE

jus et pulpe
de pamplemousse

1 cuil. à soupe de
ciboulette émincée

5 cl d'huile de maïs

sel, Tabasco

1 botte de cresson
triée et lavée

Pamplemousses gratinés au maïs

pour 4 personnes

Coupez les pamplemousses en deux. Évidez-les avec un petit couteau, sans percer l'écorce, qui sera remplie de farce. Détachez la pulpe des quartiers de fruits et jetez les peaux membraneuses.

Préparez la sauce pamplemousse : mélangez la pulpe et le jus des pamplemousses avec sel, Tabasco, ciboulette et huile de maïs.

Faites un roux avec le beurre et la farine, ajoutez le lait et amenez à ébullition. Assaisonnez de sel, de Tabasco et de noix de muscade. Versez la semoule de maïs en pluie et laissez cuire 15 min.

Retirez du feu et incorporez les grains de maïs, les tomates et les champignons de Paris. Garnissez chaque cavité de pamplemousse, saupoudrez de gruyère râpé et faites cuire 20 min au four préchauffé à 180 °C (th. 6).

Servez 1 demi-pamplemousse bien gratiné par personne, avec un bouquet de cresson nappé de la sauce pamplemousse.

 Préparation : 30 min
Cuisson : 30 min

Ingrédients

PÂTE BRISÉE

200 g de farine

1 œuf

100 g de beurre

1 pincée de sel

GARNITURE

2 cuillerées à soupe d'huile d'olive

150 g de poireaux

100 g de courgettes

100 g de fenouil

100 g de carottes

100 g de brocoli

50 g de haricots verts

50 g de petits pois

30 g de côte de céleri

CRÈME

1/4 l de crème fraîche

2 œufs

1 cuil. à soupe de tamari

sel, Tabasco

noix de muscade

Tarte printanière

pour 4 personnes

Réalisez la pâte brisée en mélangeant rapidement du bout des doigts les ingrédients qui la composent.

Abaissez la pâte et foncez un moule à tarte. Réservez au réfrigérateur.

Cuisez à l'anglaise les haricots verts, les petits pois et le brocoli très *al dente*.

Détaillez en petits cubes, les poireaux, les courgettes, le fenouil, les carottes et la côte de céleri.

Dans une cocotte, chauffez l'huile d'olive et précipitez toute la brunoise de légumes. Cuisez à vive température durant 5 min, en remuant fréquemment. Retirez du feu, ajoutez les petits pois, le brocoli et les haricots verts détaillés en petits morceaux.

Mélangez la crème fraîche avec les œufs, le tamari, le sel, le Tabasco et la noix de muscade. Ajoutez cette préparation à tous les légumes. Remuez délicatement et rectifiez l'assaisonnement.

Sortez la pâte du réfrigérateur et garnissez-la jusqu'à hauteur.

Faites cuire au four préchauffé à 180 °C (th. 6), pendant environ 30 min.

Pannequets aux olives

pour 4 personnes

Préparez la pâte à crêpes : dans un saladier, mettez la farine en fontaine, cassez l'œuf au milieu, ajoutez l'huile d'olive, le sel et la noix de muscade. Mélangez en incorporant petit à petit le lait. Laissez reposer 30 min, puis confectionnez des crêpes très fines.

Dénoyautez et concassez les olives.

Faites cuire les gousses d'ail avec leur peau, sur une plaque au four 20 min à 180 °C (th. 6).

Dans une petite cocotte, mettez l'huile d'olive à chauffer et faites rissoler les oignons. Ajoutez l'ail avec les herbes de Provence, le thym et la sarriette. Faites cuire à l'étouffée 8 min, en intercalant un rond de papier entre le récipient et son couvercle. Retirez du feu et incorporez les olives concassées, la purée d'olives et les yaourts. Mélangez bien puis liez avec la mie de pain mixée ou passée au tamis. Rectifiez l'assaisonnement.

Farcissez les crêpes, enroulez-les et dressez-en 2 par personne. Mettez autour 3 gousses d'ail en chemise, 3 olives noires et 3 vertes, une feuille de basilic et 3 quartiers de tomates.

Préparation : 25 min
Repos de la pâte : 30 mn

Ingrédients

PÂTE À CRÊPES

125 g de farine

1 œuf

25 cl de lait

1 cuil. à soupe d'huile d'olive

1 pincée de noix de muscade

1 pincée de sel

GARNITURE

5 cl d'huile d'olive

100 g d'oignons ciselés

3 gousses d'ail finement hachées

1/2 cuil. à café d'herbes de Provence

1 pincée de thym

1 pincée de sarriette

100 g d'olives noires

100 g d'olives vertes

2 yaourts

50 g de purée d'olives

60 g de mie de pain

DÉCOR

2 tomates

12 grosses gousses d'ail cuites en chemise

4 feuilles de basilic

12 olives noires

12 olives vertes

Paillasson de pommes de terre aux groseilles

pour 4 personnes

Préparation : 30 min
Cuisson : 15 min

Ingrédients

4 pommes de terre

1 cuil. à soupe
de persil et de
de cerfeuil hachés

1 cuil. à soupe de
ciboulette émincée

150 g de
champignons émincés

3 cébettes émincées

1 œuf

1/2 cuil. à café
d'herbes de
Provence

10 cl d'huile d'olive

sel

SALADE

60 g de chicorée
frisée

1 pomme
granny smith

50 g de cœur
de céleri branche

16 belles grappes
de groseilles

VINAIGRETTE

1 cuil. à soupe
de moutarde
à l'ancienne

2 cuil. à soupe de
vinaigre de vin vieux

5 cl d'huile d'olive

sel, Tabasco

Épluchez, lavez et râpez les pommes de terre. Égouttez-les et pressez-les sans les rincer. Puis, mettez-les dans un grand saladier avec le persil, le cerfeuil, la ciboulette, les champignons, les cébettes, l'œuf, les herbes de Provence et le sel. Mélangez.

Confectionnez 12 petites galettes de pommes de terre de 5 cm de diamètre.

Dans une grande poêle, faites chauffer l'huile d'olive et dorez-y les galettes 5 min de chaque côté. Puis, débarrassez-les dans une plaque tapissée d'un papier absorbant.

Préparez la salade : pelez et émincez la pomme granny smith et le cœur de céleri. Mélangez-les à la chicorée frisée et dressez en bouquet sur chaque assiette. Égrainez par-dessus une grappe de groseilles.

Préparez la vinaigrette : mélangez la moutarde, le vinaigre de vin vieux, le sel, le Tabasco et l'huile d'olive.

Rangez les paillassons en éventail. Posez sur chacun une grappe de groseilles et versez 1 cuillerée de sauce sur les bouquets de salade.

Feuilles de brick aux piments doux

pour 4 personnes

Préparation : 30 min
Cuisson : 30 min

Ingrédients

INGRÉDIENTS

4 feuilles de brick

150 g de blanc
de poireaux

100 g d'oignons

200 g de
poivrons rouges

200 g de
poivrons jaunes

100 g de
poivrons verts

1 filet + 2 cuil. à
soupe d'huile d'olive

SAUCE BÉCHAMEL

1/4 l de lait

30 g de beurre

30 g de farine

1 cuil. à soupe
de persil haché

1 œuf

noix de muscade

sel, Tabasco

FINITION

25 cl d'huile
d'arachide

Mettez les poivrons sur une plaque, arrosez-les d'un filet d'huile d'olive et faites-les cuire au four préchauffé à 200 °C (th. 7) environ 30 min, en les tournant à mi-cuisson.

Retirez-les du four, épluchez-les, puis épépinez-les. Détaillez la pulpe en fine brunoise.

Émincez en fine paysanne les oignons et les poireaux. Chauffez l'huile d'olive et faites-les cuire 15 min à l'étouffée, avec un rond de papier. Retirez le papier et mélangez les poivrons. Desséchez cette préparation 3 ou 4 min.

Préparez un roux blanc avec le beurre et la farine. Mouillez avec le lait et amenez à ébullition en fouettant énergiquement. Assaisonnez de sel, Tabasco et noix de muscade et laissez cuire 5 min à petit feu.

Retirez du feu et incorporez, avec une spatule en bois, le persil haché et l'œuf battu en omelette, puis les poivrons. Rectifiez l'assaisonnement. Étalez la préparation pour faciliter un refroidissement rapide.

Au milieu de chaque feuille de brick, posez 3 ou 4 cuillerées à soupe de farce, pliez en quatre et faites frire dans une poêle avec 25 cl d'huile d'arachide très chaude. Dorez chaque face, égouttez sur un papier absorbant et servez aussitôt.

Croustillant de crêpes au roquefort

pour 4 personnes

Préparation : 40 min
Cuisson : 20 min

Confectionnez une pâte à crêpes (voir page 83) et réalisez 8 pièces très fines.

Triez, lavez et émincez finement les poireaux.

Dans une cocotte, faites fondre le beurre et versez les poireaux. Assaisonnez de sel et de 4 gouttes de Tabasco. Posez un rond de papier et faites cuire à petit feu 10 min.

Ajoutez la crème fraîche, faites cuire 5 min, puis diluez l'arrow-root dans un peu d'eau et versez-le sur les poireaux, en remuant constamment. Faites cuire encore 3 min, retirez du feu et faites refroidir. Incorporez le roquefort à la crème de poireaux et rectifiez l'assaisonnement.

Recouvrez chaque crêpe de crème de roquefort à l'aide d'une spatule en fer et roulez-les comme des cigares.

Coupez les feuilles de brick en deux et enroulez chaque moitié sur une crêpe farcie.

Au moment de passer à table, passez ces crêpes dans l'huile d'arachide très chaude. Dorez toutes les faces et égouttez sur du papier absorbant.

Servez avec des pousses d'épinards crues ou un assortiment de salades.

Ingrédients

PÂTE À CRÊPES

125 g de farine

1 œuf

25 cl de lait

1 cuil. à soupe d'huile d'olive

1 pincée de sel

CRÈME

20 g de beurre

250 g de poireaux

1/4 l de crème fraîche

1 cuil. à soupe d'arrow-root

100 g de roquefort en petits dés

sel, Tabasco

FINITION

4 feuilles de brick

5 cl d'huile d'arachide

DÉCOR

100 g de pousses d'épinards ou un assortiment de salade

Œufs brouillés à la crème d'ail

pour 4 personnes

**Préparation : 25 min
Cuisson : 30 min**

Ingrédients

CROUSTADE
EN PÂTE BRISÉE

180 g de farine

80 g de beurre
en pommade

1 œuf

1 pincée de sel

ŒUFS BROUILLÉS

8 œufs

50 g de beurre

1/4 l de crème
fraîche

2 têtes d'ail

1 cuil. à café
de tamari

4 gouttes
de Tabasco

sel

GARNITURE

4 tomates mondées

4 branches de basilic

4 gousses d'ail

Confectionnez la pâte brisée : faites une fontaine avec la farine, cassez l'œuf au milieu, incorporez le sel et le beurre en pommade. Travaillez du bout des doigts, fraisez la pâte et foncez 4 tartelettes. Piquez les fonds avec une fourchette et faites cuire à blanc 20 min, au four préchauffé à 150 °C (th. 5).

Épluchez les têtes d'ail. Recouvrez les gousses d'eau et amenez à ébullition. Égouttez-les et faites-les cuire avec la crème fraîche, le sel, le Tabasco et le tamari, 30 min à petit feu et à petite ébullition.

Prélevez 4 gousses d'ail et mixez afin d'obtenir une crème onctueuse.

Faites étuver les tomates 20 min au four préchauffé à 150 °C (th. 5).

Faites frire la moitié des feuilles de basilic dans une huile à 160 °C.

Cassez et battez les œufs en omelette. Beurrez le fond d'une casserole en fonte avec 20 g de beurre. Chauffez au bain-marie, versez les œufs et remuez avec une spatule en bois jusqu'à l'obtention d'une crème. Incorporez la crème d'ail et continuez de mélanger. Ajoutez, petit à petit, le restant de beurre en parcelle et salez.

Garnissez les fonds de tartelettes avec les œufs brouillés, décorez avec les feuilles de basilic fraîches et frites, la tomate et une gousse d'ail.

Attereaux de légumes au basilic

pour 4 personnes

Préparation : 30 min
Cuisson : 10 min

Ingrédients

16 petits
champignons

8 sommités
de chou-fleur
de la grosseur
des champignons

8 morceaux
de carotte,
de céleri-rave
et de potiron

4 brochettes
en bambou

POUR PANER

80 g de farine

2 œufs

200 g de mie
de pain mixée

CUISSON

bain de friture
1 l d'huile d'arachide

SAUCE

100 g de tomates

le jus de 1 citron

1 pincée d'herbes
de Provence

1 cuil. à café
de tamari

1 cuil. à soupe
de basilic haché

5 cl d'huile d'olive

sel, Tabasco

Triez, lavez les champignons et coupez les queues au ras des têtes.

Dans une grande quantité d'eau bouillante salée, faites cuire, très *al dente*, les morceaux de carotte, puis plongez-les tout de suite dans l'eau glacée pour arrêter la cuisson. Faites cuire de même le potiron, le chou-fleur et le céleri-rave.

Coupez chaque brochette en deux afin d'avoir 8 morceaux. Sur chaque tige, enfilez les champignons, les morceaux de carotte, de céleri-rave, de potiron, les sommités de chou-fleur et terminez par un champignon.

Battez les œufs qui composent l'anglaise avec une cuil. à soupe d'eau. Passez les 8 brochettes dans la farine, puis dans l'anglaise et terminez en roulant dans la mie de pain.

Mondez la tomate et détaillez la pulpe en petits dés (sans les pépins). Réunissez ensemble tous les éléments qui entrent dans la composition de la sauce.

Plongez les brochettes dans l'huile très chaude. Quand la mie de pain a pris une teinte bien dorée, retirez les brochettes et égouttez-les sur du papier absorbant. Salez et servez 2 brochettes par personne, avec une ou deux cuillerées de sauce. Accompagnez d'un bouquet de salades mélangées.

Préparation : 35 min
Cuisson : 20 min
Repos de la pâte : 1 h

Ingrédients

PÂTE

200 g de farine

10 g de levure
de boulanger fraîche

10 cl de lait

2 cuil. à soupe
d'huile d'olive

1 pincée de sucre

sel

FARCE

100 g d'olives noires

100 g de tapenade

2 gousses d'ail

5 cl d'huile d'olive

4 branches de basilic

1 pincée de thym

1 pincée de sarriette

30 g de pignons

30 g d'amandes
mondées

DÉCOR

4 branches
de cerfeuil

4 branches de persil

20 tomates cerises

Pissaladière provençale

pour 4 personnes

Diluez la levure dans le lait tiède. Dans un saladier, faites une fontaine avec la farine. Mettez au milieu le sel, le sucre et l'huile d'olive. Versez le lait tiède petit à petit, en mélangeant afin d'obtenir une pâte homogène.

Recouvrez le saladier d'un film étirable et laissez reposer la pâte 1 heure. Elle doit doubler de volume.

Poudrez le plan de travail de farine et abaissez la pâte au rouleau à pâtisserie sur 3 cm d'épaisseur. Détaillez 4 cercles de 10 cm de diamètre. Rangez-les sur une plaque à pâtisserie légèrement huilée.

Dénoyautez les olives et hachez-les au couteau.

Mixez la tapenade avec l'ail, le basilic, le thym et la sarriette. Incorporez l'huile d'olive petit à petit.

Dans un saladier, mélangez à la spatule en bois la préparation mixée avec les olives noires hachées. Tartinez-la sur les galettes et répartissez à la surface les pignons et les amandes mondées.

Mettez à four préchauffé à 180 °C (th. 6), pendant 15 à 20 min.

Servez avec une branche de cerfeuil, une branche de persil et 5 tomates cerises par assiette.

Raviolis à la vapeur

pour 4 personnes

Préparation : 1 h
Cuisson : 10 mn
Repos de la pâte : 1 h

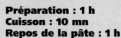

Confectionnez la pâte à nouilles. Enveloppez-la de papier film et laissez-la reposer 1 heure.

Préparez la farce : mettez les poireaux taillés en paysanne à suer dans 2 cuil. à soupe d'huile d'olive à petit feu 5 min, sans coloration. Ajoutez les bettes, mélangez avec le sel, 4 gouttes de Tabasco, les herbes de Provence, les noix et les pignons. Faites cuire 5 min avec un rond de papier. Retirez du feu et laissez refroidir.

Préparez la sauce : mondez les tomates, épépinez-les et détaillez-les en brunoise et réunissez tous les ingrédients de la sauce.

Préparez les raviolis : abaissez la pâte à nouilles de l'épaisseur d'une feuille de papier à cigarette. Détaillez 20 cercles de 6 cm de diamètre. Passez un pinceau trempé dans l'eau afin de faciliter la soudure. Déposez 1 cuillerée à soupe de farce et refermez les cercles en soudant les bords par pression, pour former des demi-lunes.

Disposez les raviolis dans la passoire d'un couscoussier et faites-les cuire à la vapeur 10 min.

Disposez harmonieusement 5 raviolis sur les assiettes et nappez de quelques cuillerées de sauce.

Ingrédients

PÂTE À NOUILLES

200 g de farine

2 œufs

1 cuil. à soupe d'huile d'olive

1 pincée de noix de muscade, sel

FARCE

huile d'olive

200 g de blancs de poireaux

1 paquet de vert de blettes blanchi et haché

50 g de pignons torréfiés

50 g de cerneaux de noix hachés

1 pincée d'herbes de Provence

sel, Tabasco

SAUCE

2 tomates

1 cuil. à café de tamari

1 cuil. à café de sucre

1 cuil. à soupe de jus de citron

1/2 dl d'huile d'olive

1 pincée d'herbes de Provence

noix de muscade

sel, Tabasco

Préparation : 1 h
Cuisson : 10 min
Repos de la pâte : 1 h

Ingrédients

PÂTE À NOUILLES

200 g de farine

2 œufs

1 pincée de noix de muscade

1 cuil. à soupe d'huile d'olive

sel

MÉLANGE DE SALADE

4 feuilles de romaine, de trévise, de laitue et de de scarole

8 feuilles de basilic

SAUCE

2 cuil. à soupe de vinaigre balsamique

sel, Tabasco

1 pincée d'herbes de Provence

1 cuil. à café de tamari

30 g d'échalotes finement ciselées

4 cuil. à soupe de cerfeuil, de persil, de basilic hachés et de ciboulette émincée

1 dl d'huile d'olive

Salade de nouilles au vinaigre balsamique

pour 4 personnes

Confectionnez la pâte à nouilles : dans un saladier, mélangez du bout des doigts la farine, les œufs, l'huile d'olive, le sel et la noix de muscade. Quand la pâte est bien homogène, enveloppez-la de papier film et laissez-la reposer 1 heure.

Lavez les feuilles de salade. Avec un couteau, retirez les côtes et découpez chacune d'elles en 3 morceaux dans le sens de la longueur. Mélangez toutes les feuilles.

Dans une petite casserole, réunissez le vinaigre, le sel, 4 gouttes de Tabasco, le tamari, les herbes de Provence, l'échalote et l'huile d'olive. Faites chauffer sans ébullition, retirez du feu et incorporez les fines herbes hachées.

Abaissez la pâte à nouilles de l'épaisseur d'une feuille de papier à cigarette et découpez des lanières de 1 cm de largeur.

Faites cuire les nouilles très *al dente* dans une eau bouillante salée. Égouttez-les et débarrassez-les dans un saladier.

Versez la sauce, mélangez bien les nouilles, ajoutez les feuilles de salade et mélangez à nouveau.

Répartissez sur les assiettes et déposez 2 feuilles de basilic sur chaque salade.

Les Plats

 Préparation : 30 min
Cuisson : 35 min
Marinade : quelques heures

Ingrédients

MARINADE

200 g de tofu

2 cuil. à soupe d'huile d'olive

le jus de 1/2 citron

20 g de graines de cumin

sel, cinq-poivres

POUR PANER

40 g de farine

2 œufs

1 cuil. à soupe d'huile

100 g de mie de pain

GLAÇAGE DES OIGNONS

200 g d'oignons garniture

20 g de beurre

1 pincée de sel

1 pincée de sucre

POTÉE

40 g de graisse végétale

200 g d'oignons

400 g de chou rouge

300 g de pommes fruits

sel, 2 clous de girofle

4 gouttes de Tabasco

200 g de betterave rouge

400 g de pommes de terre

Potée flamande

pour 4 personnes

Quelques heures avant, coupez le tofu en 8 tranches et mettez-les à mariner avec le jus de citron, les graines de cumin, l'huile, 6 tours du moulin aux cinq-poivres et le sel.

Détaillez les oignons en mirepoix et faites-les rissoler 5 min dans la graisse végétale. Ajoutez le chou rouge émincé. Couvrez d'un rond de papier et faites cuire 15 min à petit feu. Ajoutez les pommes fruits coupées en petits quartiers. Assaisonnez de sel, des clous de girofle et de Tabasco. Couvrez de nouveau et laissez cuire 5 min en veillant à garder les morceaux de pomme légèrement fermes.

Épluchez la betterave et les pommes de terre et émincez le tout en tranches de 1 cm d'épaisseur. Faites-les cuire à l'anglaise. Épluchez les petits oignons et faites-les glacer à blanc en réunissant 4 cuil. à soupe d'eau, le beurre, le sel et le sucre, couvrez d'un rond de papier et laissez cuire jusqu'à l'élimination du liquide.

Égouttez le tofu, passez-le dans la farine, puis dans l'anglaise préparée avec les œufs, l'huile et 4 cuillerées à soupe d'eau, et enfin dans la mie de pain. Faites frire à 200 °C. Dès que les morceaux sont bien dorés, égouttez sur du papier absorbant.

Dressez sur chaque assiette une louche de potée et entourez-la en alternant les tranches de betteraves, de pommes de terre et de petits oignons. Posez par-dessus 2 tranches de tofu.

Chou-fleur soufflé aux graines d'orge

pour 4 personnes

Préparation : 20 min
Cuisson : 40 min

Dans une cocotte à fond épais, faites chauffer l'huile d'olive et faites-y suer les oignons et le poireau sans coloration. Ajoutez les herbes de Provence, l'orge et faites revenir sans cesser de remuer. Mouillez avec 30 cl d'eau et le tamari. Assaisonnez de sel et de Tabasco. Intercalez un rond de papier entre la cocotte et le couvercle. Faites cuire à petit feu 25 à 30 min.

Émincez finement les bouquets de chou-fleur. Versez les 10 cl d'huile d'olive dans une poêle et faites-les sauter 5 min en versant, petit à petit, 5 cuillerées à soupe d'eau. Égouttez dans une passoire.

Dans un saladier, faites une fontaine avec la farine, ajoutez les jaunes d'œufs, 1 cuillerée à soupe d'huile d'olive, du sel, du Tabasco, la noix de muscade, la ciboulette et le cerfeuil. Versez 10 cl d'eau petit à petit, en travaillant avec un fouet. Montez les blancs d'œufs en neige très ferme, puis incorporez-les avec une spatule en bois en coupant la pâte. Ajoutez l'orge et la moitié du chou-fleur.

Dans une poêle, faites chauffer la graisse végétale et versez 4 louches côte à côte pour former des galettes bien dorées sur les deux faces.

Servez en posant au milieu de chaque galette un bouquet du reste de chou-fleur.

Ingrédients

CUISSON DE L'ORGE

2 cuil. à soupe d'huile d'olive

60 g d'oignon ciselé

60 g de poireau taillé en paysanne

1 pincée d'herbes de Provence

80 g d'orge mondé

1 cuil. à soupe de tamari

4 gouttes de Tabasco

sel

SOUFFLÉ

500 g de bouquets de chou-fleur

10 cl d'huile d'olive

100 g de farine

2 jaunes d'œufs

1 cuil. à soupe d'huile d'olive

4 gouttes de Tabasco

1 pincée de noix de muscade

1 cuil. à soupe de cerfeuil haché

1 cuil. à soupe de ciboulette émincée

sel

2 blancs d'œufs

CUISSON

60 g de graisse végétale

Pudding de carottes au seigle

pour 4 personnes

**Préparation : 30 min
Cuisson : 1 h**

Ingrédients

Cuisson du seigle

3 cuil. à soupe
d'huile d'olive

50 g d'oignon ciselé

100 g de seigle

1 cuil. à soupe
de tamari, sel

4 gouttes de Tabasco

Pudding

5 cl d'huile d'olive

150 g de blanc
de poireaux

80 g d'oignon

3 gousses d'ail

herbes de Provence

450 g de carottes

4 gouttes de Tabasco

sel, 4 œufs

Sauce

10 cl de vin blanc

35 g d'échalotes

80 g de beurre

50 g de crème
épaisse

50 g de roquefort

Garniture

200 g de haricots verts

30 g de pignons

30 g de cerneaux
de noix

30 g d'amandes
mondées

Pour la cuisson du seigle, voyez la cuisson d'une céréale pages 30 et 31.

Préparez le pudding : émincez finement les blancs de poireaux et les oignons. Dans une cocotte, faites chauffer l'huile d'olive. Ajoutez les légumes émincés, l'ail et une pincée d'herbes de Provence. Émincez les carottes. Quand les oignons et les poireaux sont tendres, ajoutez les carottes, le sel, 4 gouttes de Tabasco et 1 verre d'eau. Intercalez un rond de papier entre le récipient et le couvercle, et faites cuire à très petit feu pendant 40 min. Retirez du feu et mixez finement la préparation avec les œufs. Incorporez au pudding 2 cuillerées à soupe de seigle cuit. Beurrez des ramequins, garnissez-les à hauteur et faites cuire au four préchauffé à 150 °C (th. 5), pendant 30 min environ.

Préparez la sauce : faites réduire aux trois quarts, le vin blanc contenant les échalotes ciselées. Incorporez le beurre, mixez, puis ajoutez la crème fraîche. Gardez au chaud au bain-marie et incorporez le roquefort en fine brunoise.

Préparez la garniture : faites cuire les haricots verts à l'anglaise, *al dente*, et faites torréfier les fruits secs.

Dressez suivant le modèle de la photo.

**Préparation : 30 min
Cuisson : 45 min**

Côtes de blettes gratinées « parmejane »

pour 4 personnes

Ingrédients

8 côtes de blettes
blanches

1 feuille de laurier

1 branche de thym

2 feuilles de sauge

sel

le jus de 1/2 citron

16 tranches
de Comté

POUR PANER

50 g de farine

2 œufs

1 cuil à soupe + 10 cl
d'huile d'olive

150 g de pain de mie

sel

1 pincée d'herbes
de Provence

TOMATES CONCASSÉES

20 g d'huile d'olive

50 g d'oignon ciselé

1 gousse d'ail hachée

1 bouquet garni

400 g de tomates

sel

1 cuil. à café de
sucre et de tamari

4 gouttes de Tabasco

1/2 cuil. à soupe
d'arrow-root

Triez et épluchez les côtes de blettes. Puis, coupez-les de manière à obtenir 16 morceaux. Amenez à ébullition 1 litre d'eau salée parfumée avec le laurier, le thym, la sarriette et la sauge. Plongez les morceaux de blettes, versez le jus de citron et faites cuire à vive ébullition en gardant les côtes *al dente*. Égouttez aussitôt et laissez refroidir.

Préparez l'anglaise : battez 2 œufs, 1 cuil. à soupe d'huile et 2 cuil. à soupe d'eau à la fourchette.

Panez les côtes de blettes en les passant dans la farine, puis l'anglaise et la mie de pain mixée. Faites-les dorer à la poêle avec 10 cl d'huile d'olive et une pincée d'herbes de Provence, salez.

Préparez les tomates concassées : dans une cocotte, faites chauffer l'huile d'olive et faites rissoler l'oignon avec l'ail. Puis, ajoutez les tomates mondées, épépinées et concassées. Assaisonnez de sel, de sucre, de tamari et de Tabasco. Ajoutez le bouquet garni et faites cuire 15 min à petit feu, en posant un rond de papier sur la préparation.

Retirez le bouquet garni, diluez l'arrow-root dans 1/2 verre d'eau et mélangez à la tomate. Donnez 3 min d'ébullition et retirez du feu.

Préparez la sauce : épluchez l'aubergine, détaillez-la en brunoise, plongez-la dans l'eau bouillante salée pendant 4 min, égouttez-la, mélangez-la avec le jus de citron, l'huile d'olive, le tamari et le basilic. Gardez au chaud au coin du fourneau.

Détaillez en brunoise les courgettes et le fenouil. Chauffez une cocotte avec l'huile d'olive, rissolez la brunoise et nacrez le boulghour 2 min. Mouillez d'eau une fois le volume de céréales. Ajoutez le sel et le tamari, amenez à ébullition. Couvrez d'un rond de papier et faites cuire 20 min à petit feu.

Disposez toutes les côtes sur une grande plaque à four, mettez un peu de concassée de tomates sur chacune d'elles, posez par-dessus une tranche de fromage et passez sous le gril du four pour faire couler le fromage.

Dressez au milieu de chaque assiette un peu de boulghour, disposez en étoile 4 côtes de blettes et alternez avec la sauce. Décorez de feuilles de basilic.

Ingrédients

SAUCE

150 g d'aubergine

2 cuil. à soupe
de jus de citron

30 g d'huile d'olive

1 cuil. à café
de tamari

1 cuil. à soupe
de basilic haché

sel

CÉRÉALE

30 g d'huile d'olive

100 g de courgettes

100 g de fenouil

200 g de boulghour

1 cuil. à café
de tamari

sel

DÉCOR

4 bouquets de basilic

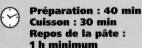

Préparation : 40 min
Cuisson : 30 min
Repos de la pâte :
1 h minimum

Ingrédients

PÂTE À NOUILLES

150 g de farine

2 œufs

huile d'olive

1 pincée de sel

2 g de safran

200 g de ricotta

1 branche de sauge
et de sarriette

1 brindille de
romarin

SAUCE

huile d'olive

farine

tamari

noix de muscade

4 gouttes de Tabasco

50 g d'échalotes

50 g d'oignon émincé

50 g de poireau

2 gousses d'ail

50 g de beurre

15 g de purée d'olives

50 g d'olives noires
dénoyautées et
hachées

sel

GARNITURE

200 g de brunoise
de tomates

8 feuilles de basilic

4 feuilles de sauge,
de sarriette et de thym

Ravioles à la ricotta sauce tapenade

pour 4 personnes

Préparez la pâte à nouilles : dans un saladier, mettez la farine en fontaine. Cassez les œufs au milieu, ajoutez le sel, 1 cuil. à soupe d'huile d'olive et le safran. Travaillez la pâte jusqu'à ce qu'elle soit lisse et homogène. Enveloppez-la de papier film et laissez-la reposer quelques heures.

Préparez la sauce : dans une casserole à fond épais, faites chauffer 1 cuil. à soupe d'huile d'olive. Ajoutez la farine et faites cuire comme un roux blanc. Versez 1/4 de litre d'eau, 1 cuil. à soupe de tamari, une pincée de muscade et le Tabasco. Ne salez pas, vérifiez l'assaisonnement après le mélange avec les olives noires. Remuez avec un fouet jusqu'à ébullition. Baissez le feu et ajoutez les échalotes, les oignons et le poireau émincés et l'ail. Faites cuire 20 min à petit feu. Passez au chinois étamine et mixez en incorporant le beurre coupé en morceaux. Mélangez la purée d'olives et les olives noires.

Confectionnez les ravioles : abaissez la pâte à nouilles au rouleau à pâtisserie par petites quantités : l'épaisseur ne doit pas dépasser 1 mm. Découpez 20 cercles à l'aide d'un emporte-pièce de 5 cm de diamètre. Ovalisez légèrement les cercles avec le rouleau à pâtisserie, posez à plat sur une grande surface, passez un peu d'eau au pinceau sur les bords de la pâte et déposez des petits tas de ricotta de la grosseur d'une cuillère à café. Refermez les ovales bord à bord, soudez et plongez 3 min dans une eau salée frémissante parfumée avec sauge, sarriette et romarin.

Déposez 5 ravioles sur chaque assiette, nappez de sauce tapenade et terminez par quelques confettis de brunoise de tomates, les feuilles de basilic, la sariette, la sauge et le thym.

Préparation : 30 min
Cuisson : 35 min

Ingrédients

GALETTES

1 cuil. à soupe
d'huile d'olive

80 g d'oignon

100 g de poireaux

100 g de millet

1 cuil à café de tamari

1 bouquet garni

30 g de farine

1 œuf

20 g de levure
alimentaire maltée

1 cuil. à café
d'estragon, de persil,
de cerfeuil hachés

1 cuil. à café de
ciboulette émincée

1 cuil. à soupe de
cébette émincée

sel

CUISSON

25 g de farine

40 g de graisse
végétale

CHOP SUEY

5 cl d'huile d'olive

80 g de germes
de soja

100 g de carottes

80 g de courgette

100 g de chou chinois

1 pièce de cébette

20 g de céleri

Millet à l'aigre doux

pour 4 personnes

Préparez les galettes : taillez en fine paysanne l'oignon et les poireaux. Faites-les suer dans l'huile d'olive, ajoutez le millet, nacrez-le et mouillez d'eau une fois et demie le volume du millet. Ajoutez le bouquet garni, le sel et le tamari. Intercalez un rond de papier entre le récipient et le couvercle et faites cuire à petit feu 15 min. Dans un petit saladier, mélangez la farine, l'œuf et 2 cuillerées à soupe d'eau, afin d'obtenir une pâte à crêpes très épaisse. Dans un grand saladier, mélangez le millet tiède, la levure alimentaire, toutes les herbes et la pâte à crêpes. Rectifiez l'assaisonnement.

Après refroidissement, formez des galettes avec la farine et faites-les dorer à la poêle avec la graisse végétale.

Préparez le chop suey : émincez en biais très finement les carottes, la courgette, le chou chinois, la cébette, le céleri branche, les champignons, le chou-fleur et le poireau. Mélangez les germes de soja.

Dans une poêle chauffez l'huile d'olive, faites sauter vivement tous les légumes, assaisonnez de sel, d'une pincée de poudre de gingembre et de poudre de citronnelle.

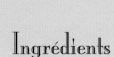

Déglacez avec le tamari. Mélangez la coriandre, la ciboulette et le cerfeuil. Rectifiez l'assaisonnement.
Préparez la sauce : faites chauffer le sucre dans une poêle, faites-le caraméliser et ajoutez les tranches d'ananas. Puis déglacez avec le vinaigre et laissez réduire de moitié. Retirez les tranches d'ananas et ajoutez 10 cl d'eau, le tamari, le sel, le Tabasco et liez avec l'arrow-root dilué dans 2 cuillerées à soupe d'eau. Réservez la sauce au chaud dans une petite casserole.
Panez à l'anglaise 4 tranches d'1 cm d'épaisseur de banane taillées en biais : passez-les dans la farine, l'œuf battu et la mie de pain mixée, puis faites-les frire à grande friture à 180 °C.
Posez sur chaque assiette, une galette, un bouquet de chop suey avec, à côté, la rondelle de banane, la tranche d'ananas à cheval sur la galette nappée de sauce. Poudrez de graines de sésame.

Ingrédients

80 g de champignons de Paris

50 g de chou-fleur

80 g de poireau

sel

1 pincée de gingembre

1 pincée de citronnelle

1 cuil. à soupe de tamari

1 cuil. à café de coriandre fraîche, de cerfeuil haché et de ciboulette émincée

Sauce

30 g de sucre

4 tranches d'ananas

1/2 dl de vinaigre de cidre

1 cuil. à café de tamari

1 cuil. à café de d'arrow-root

4 gouttes de Tabasco

Garniture

4 rondelles de banane taillées en biais

10 g de farine

1 œuf

30 g de mie de pain

10 graines de sésame

Couscous de légumes

pour 4 personnes

Préparation : 20 min
Cuisson : 25 min

Ingrédients

SEMOULE

200 g de semoule
de couscous

2 cuil. à soupe
d'huile d'olive

1 cuil. à soupe
de menthe hachée

LÉGUMES

8 cuil. à soupe
d'huile d'olive

200 g d'oignons

200 g de poireaux

50 g de céleri
branche

200 g de carottes

100 g de chou
vert frisé

250 g de courgettes

100 g d'aubergine

80 g de poivron
rouge

100 g de potiron

1 bouquet garni

1 cuil. à café de
coriandre, de cumin
en poudre,
de raz-el-hanout
et d'herbes
de Provence

Tabasco

sel

200 g de tomates
mondées, épépinées
et concassées

60 g de pois chiches
cuits

Triez, lavez, épluchez les oignons, les carottes et le potiron. Détaillez tous les légumes en cubes de 2 cm x 2 cm.

Dans une cocotte à fond épais, faites chauffer 4 cuillerées à soupe d'huile d'olive et faites rissoler à feu vif les oignons, les poireaux, les carottes, le céleri branche et le chou vert frisé, 5 min.

Dans une poêle, faites sauter vivement les courgettes, l'aubergine, le poivron et le potiron avec 4 cuillerées à soupe d'huile d'olive, jusqu'à l'obtention d'une légère coloration. Égouttez et mélangez aux autres légumes. Ajoutez les épices, le sel, 5 gouttes de Tabasco et le bouquet garni. Couvrez d'un rond de papier et faites cuire à petit feu 10 min. Ajoutez les tomates, les pois chiches et 5 cl d'eau et faites cuire encore 10 min à petit feu, avec un rond de papier.

Dans une cocotte à fond épais, chauffez l'huile d'olive, versez la semoule et faites-la revenir régulièrement. Mouillez avec 1/4 de litre d'eau salée, retirez du feu et couvrez d'un rond de papier. Laissez gonfler 15 min, égrenez en incorporant la menthe hachée.

Servez les légumes et la semoule et décorez avec une branche de coriandre et de menthe.

Panaché de nouilles aux algues

pour 4 personnes

Préparation : 40 min
Cuisson : 25 min
Repos de la pâte :
1 h minimum

Ingrédients

PÂTE À NOUILLES

300 g de farine

3 œufs

huile d'olive

2 gr de safran

100 g de vert de blettes blanchies, égouttées et mixées

1 cuil. à café de cerfeuil et de persil hachés

SAUCE SOUBISE

35 g de beurre

20 g de farine

100 g d'oignons

1/4 l de lait

sel, 4 gouttes de Tabasco

1 pincée de noix de muscade

1 cuil. à café de tamari

100 g d'oignons

20 g d'huile d'olive

100 g de champignons de Paris

100 g de pleurotes

80 g d'échalotes ciselées

1 cuil. à soupe d'algues mélangées de la mer

2 g d'algues iziki

20 cl de crème fraîche

Préparez la pâte à nouilles : dans trois saladiers différents, mettez 100 g de farine, 1 œuf, 1 pincée de sel et 1 cuil. à café d'huile d'olive. Dans le deuxième, ajoutez le safran et dans le troisième le vert de blettes et les herbes. Chaque pâte à nouilles doit être lisse et bien homogène. Enveloppez dans du papier film et laissez reposer.

Abaissez chaque pâte sur un 1/2 mm d'épaisseur et découpez au couteau des lanières de 1 cm de largeur environ.

Préparez la sauce soubise : faites fondre 15 g de beurre dans une casserole. Ajoutez la farine et faites un roux blanc. Versez le lait et mélangez avec un fouet en ajoutant le sel, le Tabasco, la muscade, le tamari et les oignons émincés. Amenez à ébullition et faites cuire 15 min à petit feu.

Triez et lavez les champignons. Coupez-les en quatre. Faites-les rissoler rapidement à la poêle avec 20 g d'huile d'olive.

Dans une casserole, faites suer les échalotes finement ciselées avec le beurre. Ajoutez le mélange de la mer, les algues iziki réhydratées tronçonnées et les champignons. Versez la crème fraîche, donnez une ébullition, ajoutez la sauce soubise préalablement mixée et faites cuire à petit feu 5 min. Rectifiez l'assaisonnement.

Mélangez les nouilles entre elles et faites-les cuire *al dente* dans une grande quantité d'eau bouillante salée. Égouttez-les et mélangez-y la moitié de la sauce.

Dressez un gros bouquet de nouilles au milieu de chaque assiette. Répartissez autour le reste de la sauce contenant les champignons.

Pain de champignons au millet

pour 4 personnes

Préparation : 20 min
Cuisson : 1 h

Ingrédients

MILLET

2 cuil. à soupe d'huile d'olive

120 g de poireaux

80 g de millet

tamari

4 gouttes de Tabasco

sel

CHAMPIGNONS

4 cuil. à soupe d'huile d'olive

100 g de pleurotes

100 g de champignons de Paris

40 g de lentins de chêne

20 g de cèpes secs

30 g de beurre

50 g d'échalotes

LIAISON

50 g de farine

2 œufs

15 g de beurre fondu

noix de muscade, sel

2 gouttes de Tabasco

10 cl de lait

SAUCE

25 cl de crème fraîche

tamari, sel

arrow-root

4 gouttes de Tabasco

Réhydratez les cèpes dans un peu d'eau tiède.

Émincez finement les poireaux, mettez-les à suer à petit feu avec l'huile d'olive. Ajoutez le millet et faites-le nacrer. Mouillez avec 10 cl d'eau, ajoutez 1 cuil. à café de tamari, le Tabasco et le sel. Couvrez d'un rond de papier et faites cuire 15 min à petit feu.

Triez et lavez les champignons. Coupez-les en quatre. Dans une grande poêle, faites chauffer l'huile d'olive. Faites rissoler à feu vif les champignons puis égouttez-les dans une passoire. Réservez 4 morceaux de chaque variété pour le décor.

Dans une cocotte à fond épais, faites rissoler les échalotes dans 30 g de beurre, sans coloration. Ajoutez les cèpes triés et bien lavés et les autres champignons bien égouttés.

Dans un saladier, mettez la farine en fontaine. Cassez au milieu les œufs, ajoutez le beurre fondu, le sel, 1 pincée de noix de muscade et le Tabasco. Versez le lait en mélangeant avec un fouet petit à petit. Mélangez avec les champignons. Ajoutez le tiers du millet, rectifiez l'assaisonnement, versez dans des ramequins beurrés et farinés, et faites cuire au four préchauffé à 150 °C (th. 5) pendant 35 min.

Préparez la sauce : réunissez dans une petite casserole, la crème, 1 cuil. à café de tamari, le sel et le Tabasco. Amenez à ébullition. Diluez 1 cuil. à café d'arrow-root avec 2 cuillerées à soupe d'eau froide et versez dans la crème en mélangeant avec un fouet.

Démoulez un pain sur chaque assiette et nappez de sauce. Répartissez quelques champignons sautés et des grains de millet.

Préparation : 20 min
Cuisson : 30 min

Ingrédients

150 g de riz

10 g de miso

6 gros oignons blancs

4 cuil. à soupe
d'huile d'olive

2 œufs durs

100 g de poivron
rouge

30 g de côte
de céleri

4 g d'algues
mélange de la mer
en paillette

1 pincée
de quatre-épices

sel, Tabasco

1 œuf

1 cuil. à soupe
de persil haché

50 g de pain de mie

un peu de chapelure
ou de mie de pain

Oignons farcis au riz

pour 4 personnes

Faites cuire le riz à l'anglaise avec le miso dans de l'eau bouillante salée.

Épluchez les oignons et coupez-les en deux (transversalement entre la tige et la racine). Faites-les blanchir dans une eau bouillante salée. Rafraîchissez et égouttez. Retirez les parties intérieures et disposez les cavités sur une plaque à rotir huilée avec 2 cuillerées d'huile d'olive.

Hachez finement les parties intérieures des oignons et les œufs durs. Détaillez le poivron et le céleri en petits dés.

Dans une cocotte à fond épais, chauffez 2 cuillerées d'huile d'olive, faites rissoler les oignons hachés et les algues.

Dans une poêle, faites sauter à feu vif le poivron et le céleri. Ajoutez-les dans la cocotte et mélangez avec une spatule en bois. Faites cuire 5 min. Retirez du feu et incorporez le riz, les œufs durs, le sel, les quatre-épices, 3 gouttes de Tabasco, l'œuf battu et le persil haché.

Avec une poche, farcissez de cette préparation les cavités d'oignons. Saupoudrez de chapelure ou de mie de pain et faites cuire 30 min à four préchauffé à 180 °C (th. 6).

Moussaka au confit de tomate

pour 4 personnes

Préparation : 45 min
Cuisson : 1 h

Ingrédients

SAUCE TOMATE

400 g de tomates

2 cuil. à soupe d'huile d'olive

80 g d'oignon

herbes de Provence

1 pincée de sucre

4 gouttes de Tabasco

1 cuil. à soupe de tamari

arrow-root

sel

MOUSSAKA

3 aubergines

1 filet d'huile d'olive

150 g d'oignons

2 gousses d'ail

1 pincée d'herbes de Provence

80 g de pain demi-complet

80 g d'orge mondé

150 g de tomates

1 cuil. à soupe de basilic haché

2 œufs

1 cuil. à soupe de parmesan râpé

2 gouttes de Tabasco

tamari

sucre

Mondez les tomates, retirez-en des pétales. Épépinez, concassez et réservez le reste des tomates au frais. Disposez les pétales sur une grille, poudrez-les de sucre et faites-les confire au four préchauffé à 90 °C (th. 3), environ 1 heure.

Ouvrez les aubergines en deux. Incisez la pulpe, versez un filet d'huile d'olive et faites cuire 35 min au four préchauffé à 180 °C (th. 6).

Ciselez finement l'oignon. Faites-le suer dans 2 cuil. à soupe d'huile d'olive avec l'ail et une pincée d'herbes de Provence. Faites tremper le pain dans l'eau tiède, égouttez-le, pressez-le fortement, hachez-le au couteau. Faites cuire l'orge à l'anglaise dans l'eau salée environ 30 min et égouttez-le.

Retirez la pulpe de la peau des aubergines, hachez-la au couteau et réservez. Coupez la peau en bandes et foncez-en 4 moules, la partie noire et lisse contre les parois. Mondez, épépinez et concassez les tomates. Réunissez la pulpe des aubergines, la tombée d'oignons, le pain haché, les tomates concassées, l'orge, le basilic, le parmesan et les œufs battus en omelette. Mélangez bien, assaisonnez avec le sel, le Tabasco, le tamari et le sucre. Garnissez-en les 4 moules et faites cuire au bain-marie, au four préchauffé à 180 °C (th. 6) environ 30 min.

Ciselez les oignons, faites-les rissoler avec 2 cuil. à soupe d'huile d'olive et les herbes de Provence. Ajoutez les tomates réservées au frais. Donnez 5 min d'ébullition et liez avec 1 cuil. à café d'arrow-root dilué dans 3 cuil. à soupe d'eau. Assaisonnez de sel, de quelques gouttes de Tabasco, d'une pincée de sucre et d'1 cuil. à café de tamari puis les pétales confits coupés en 3 ou 4. Démoulez une moussaka d'aubergine sur chaque assiette, entouré d'un cordon de tomates.

 Préparation : 30 min
Cuisson : 30 min

Ingrédients

300 g de pommes
fruits épluchées et
émincées

1 pincée de cannelle

30 g de beurre

300 g de céleri-rave

1 cuil. à café
de jus de citron

20 cl de crème
fraîche

4 gouttes de Tabasco

300 g de chou rouge

1 clou de girofle

sel

POLENTA

25 g de beurre

sel

3 gouttes de Tabasco

1 pincée de noix
de muscade

200 g de poireaux

80 g de semoule
de maïs

60 g d'etorki
(fromage de brebis)

GARNITURE

5 cl d'huile d'olive

200 g de girolles

1 pincée d'herbes
de Provence

4 tours de moulin
cinq-poivres

20 g de noisettes

Polenta
aux trois purées

pour 4 personnes

Faites cuire les pommes à couvert et à petit feu avec 4 cuillerées à soupe d'eau, la cannelle et 15 g de beurre pendant 15 min. Retirez du feu et mixez finement. Salez. Épluchez le céleri-rave, émincez-le et faites-le cuire 15 min à vive ébullition dans une eau salée légèrement citronnée. Égouttez et mixez finement avec la crème fraîche. Assaisonnez de sel et de Tabasco. Émincez le chou rouge et faites-le cuire dans l'eau salée 15 min à vive ébullition avec un clou de girofle. Égouttez et mixez en incorporant 15 g de beurre. Gardez les purées au chaud au bain-marie, couvertes d'un rond de papier beurré.

Dans une cocotte à fond épais, faites bouillir 1 demi-litre d'eau avec 25 g de beurre, du sel, 4 gouttes de Tabasco et 1 pincée de noix de muscade. Ajoutez les poireaux finement émincés et faites cuire 5 min. Versez la semoule en pluie, en mélangeant avec un fouet. Laissez cuire à petit feu 15 min, en remuant de temps en temps avec une spatule en bois.

Découpez le fromage de brebis en petits dés. Retirez la semoule du feu et incorporez le fromage de brebis.

Dans une poêle, faites chauffer l'huile d'olive. Faites sauter les girolles à feu vif et assaisonnez de sel, d'herbes de Provence et de cinq-poivres.

Dressez une louche de polenta sur chaque assiette, posez par-dessus quelques girolles et alternez les purées autour. Ajoutez quelques noisettes sur la purée de céleri-rave.

 Préparation : 30 min
Cuisson : 45 min

Ingrédients

1 poivron jaune

1 poivron vert

1 poivron rouge

200 g de
pâte feuilletée

CRÈME PÂTISSIÈRE

4 jaunes d'œufs

1 œuf

50 g de farine
torréfiée

1/4 l de lait

1 pincée de noix
de muscade

4 gouttes de Tabasco

sel

SAUCE

1 tête d'ail

1/4 l de crème fraîche

1 cuil. à café
de tamari

1 cuil. à café
d'arrow-root

Feuilleté de poivrons

pour 4 personnes

Faites cuire les poivrons au four 35 min à 180 °C
(th. 6). Puis, pelez et épépinez-les. Avec un emporte-
pièce de 2 cm de diamètre, détaillez 4 cercles de
chaque couleur et détaillez le reste des poivrons en
petits cubes.

Abaissez la pâte feuilletée sur 3 mm d'épaisseur.
Découpez à l'emporte-pièce 8 abaisses de 8 cm de
diamètre. Piquez-les avec une fourchette et faites-
les cuire sur une plaque humidifiée, 25 à 35 min à
four préchauffé à 210 °C (th. 7), en les retournant
à mi-cuisson. Laissez-les dans le four éteint pour
les garder chaudes.

Confectionnez la crème pâtissière : mélangez l'œuf
entier, les jaunes et la farine. Versez le lait bouillant
petit à petit, afin d'obtenir une crème sans grumeaux, et fouettez énergiquement jusqu'à ébullition. Retirez du feu, assaisonnez de sel, de muscade
et de Tabasco.

Mélangez les cubes de poivrons à la crème et réser-
vez-la au chaud.

Préparez la sauce : blanchissez les gousses d'ail, égouttez-les et faites-les cuire 15 min dans la crème avec le sel et le tamari. Mixez, rectifiez l'assaisonnement et versez l'arrow-root dilué dans 2 cuillerées à soupe d'eau, faites cuire 3 min à petite ébullition.

Préparez la céréale : faites rissoler les oignons avec l'huile d'olive. Nacrez le quinoa, mouillez avec une fois et demie le volume du quinoa d'eau bouillante salée, parfumée avec le tamari. Couvrez d'un rond de papier et faites cuire à petit feu 20 min. Retirez du feu, ajoutez la brunoise de tomate, égrenez le quinoa et rectifiez l'assaisonnement.

Posez une abaisse de feuilletage sur chaque assiette. Répartissez la crème pâtissière aux poivrons, recouvrez d'une abaisse de feuilletage, aplatissez légèrement, nappez de sauce, disposez quelques bouquets de quinoa autour du feuilleté et posez un cercle de poivron de chaque couleur par feuilleté.

Décorez avec le paprika et la ciboulette.

Ingrédients

CÉRÉALE

1 cuil. à soupe d'huile d'olive

40 g d'oignon finement ciselé

100 g de quinoa

1 cuil. à café de tamari

80 g de brunoise de tomate

sel

DÉCOR

paprika

1/2 paquet de ciboulette

Croquettes d'avoine au potimarron

pour 4 personnes

Préparation : 35 min
Cuisson : 35 min

Ingrédients

250 g de potimarron

250 g de potiron

SAUCE

20 g d'huile d'olive

4 gousses d'ail

1 branche de sarriette

100 g d'oignons

50 g d'huile d'olive

CROQUETTES

huile d'olive

60 g de carotte

100 g de courgettes

100 g de poireaux

20 g de côte de céleri

150 g de flocons
d'avoine

10 g de miso

2 jaunes d'œufs

20 g de fromage râpé

farine

POUR PANER

50 g de farine

2 œufs

huile

100 g de mie de pain

DÉCOR

3 g d'algues iziki

20 graines de courge

4 branches
de cerfeuil

Épluchez seulement le potiron et levez, avec la cuillère parisienne, 12 boules de chaque variété. Cuisez chaque variété séparément à l'anglaise, en les gardant *al dente*. Réservez le reste des cucurbitacées.

Dans une cocotte, faites chauffer l'huile d'olive et faites rissoler les oignons émincés, l'ail écrasé et la branche de sarriette. Ajoutez le restant de toutes les cucurbitacées émincées et salez. Couvrez d'un rond de papier et faites cuire à petit feu.

Quand les courges sont bien tendres, retirez du feu, enlevez la branche de sarriette, mixez finement en incorporant 50 g d'huile d'olive. Salez.

Détaillez les légumes en brunoise, faites-les rissoler à feu très vif avec 2 cuil. à soupe d'huile d'olive 2 min, ajoutez les flocons d'avoine, mélangez bien, puis versez 1/2 litre d'eau bouillante salée dans laquelle vous faites dissoudre le miso. Amenez à ébullition, intercalez un rond de papier entre le récipient et le couvercle et faites cuire à très petit feu 10 min.

Retirez du feu et incorporez les œufs et le fromage en fouettant énergiquement. Faites refroidir, versez sur un marbre, façonnez avec de la farine des cylindres de 5 cm de long sur 2 cm de circonférence.

Panez-les, en les passant successivement dans la farine puis dans l'anglaise (œufs battus avec 1 cuil. à café d'huile et 4 cuil. à soupe d'eau) et dans la mie de pain mixée. Faites cuire dans une friture à 180 °C pendant 2 à 3 min. Égouttez et posez sur papier absorbant.

Versez une louche de sauce dans chaque assiette, répartissez les cylindres au milieu des assiettes et entourez en alternant les boules de cucurbitacées une pincée d'algues iziki à réhydrater, le cerfeuil et parsemez de graines de courges.

Feuilles de blettes farcies à l'américaine

pour 4 personnes

Préparation : 50 min
Cuisson : 35 min

Ingrédients

8 grandes feuilles
de blettes, la côte
coupée à la naissance
du vert

sel, herbes
de Provence

1 filet d'huile d'olive

FARCE

15 cl d'huile d'olive

150 g de tofu

140 g d'oignons

1 cuil. à café
de sauge hachée

1/2 cuil. à café
de thym haché

1 cuil. à soupe
de persil haché

130 g de pain
demi-complet

sel

6 tours de moulin
à poivre

GARNITURE

4 petites tomates

sel, 1 pincée d'herbes
de Provence

1 cuil. à soupe
d'huile d'olive

4 tours de moulin
à poivre

2 grosses pommes
de terre

1 l d'huile d'arachide
pour la friture

Coupez la côte à la naissance du vert. Plongez les feuilles de blettes dans une grande quantité d'eau bouillante salée. Dès qu'elles sont ramollies, égouttez-les et plongez-les dans une eau glacée.

Préparez la farce : dans une poêle, faites rissoler à feu vif le tofu détaillé en petits dés, avec 5 cl d'huile d'olive. Dans une cocotte, faites chauffer 10 cl d'huile d'olive et faites rissoler à feu vif les oignons finement ciselés. Ajoutez le tofu et parfumez avec la sauge, le thym et le persil. Liez avec le pain demi-complet passé au mixeur. Mélangez et assaisonnez de sel et de poivre du moulin.

Étalez bien à plat les feuilles de blettes, retirez un peu d'épaisseur aux nervures blanches. Répartissez la farce sur le milieu de chaque feuille et refermez en pliant les feuilles en quatre. Disposez-les sur une plaque légèrement huilée. Salez, poudrez d'herbes de Provence, arrosez d'un filet d'huile d'olive et faites cuire 10 min au four préchauffé à 180 °C (th. 6).

Grillez les tomates : posez-les sur la plaque, salez, parfumez d'herbes de Provence et d'huile d'olive. Faites cuire 15 min à 180 °C (th. 6).

Épluchez et émincez en chips les pommes de terre. Rincez-les bien dans l'eau fraîche, égouttez-les, séchez-les et faites-les frire par petites quantités, dans un bain d'huile d'arachide à 200 °C. Égouttez sur un papier absorbant et salez.

Préparez les galettes : dans un saladier, mettez ensemble la farine demi-complète, les jaunes d'œufs, l'huile d'olive, le maïs et 50 g d'eau. Mélangez bien (la consistance doit être épaisse). Assaisonnez de sel, de Tabasco et de muscade. Montez les blancs en neige très ferme, incorporez-les à la pâte, chauffez la poêle avec l'huile d'olive, déposez les galettes (de la grosseur d'une cuillerée à soupe) et faites-les dorer sur chaque face.

Présentez 2 blettes farcies sur chaque assiette, une tomate grillée, un bouquet de chips et 2 ou 3 petites galettes. Décorez avec une branche de cresson.

Ingrédients

GALETTES

100 g de farine
demi-complète

1 cuil. à soupe
d'huile d'olive

2 jaunes d'œufs

130 g de grains
de maïs au naturel

sel, 2 gouttes
de Tabasco

1 pincée de noix
de muscade

2 blancs d'œufs

5 cl d'huile d'olive

DÉCOR

4 branches
de cresson

Préparation : 25 min
Cuisson : 40 min

Ingrédients

Sauce curry

20 g d'huile d'olive

50 g d'oignon

50 g de poireau

1 gousse d'ail

10 g de céleri

50 g de pomme fruit

50 g de banane

3 pincées de curry

1 pincée
de gingembre,
de cardamome,
de citronnelle et
de sucre

sel, crème fraîche

Soja

20 g d'huile d'olive

80 g d'oignon

200 g de graines
de soja vertes

2 cuil. à soupe
d'algues « salade
du pêcheur »

10 g de miso

sel, Tabasco

80 g de pomme fruit

ciboulette émincée

Chop suey

2 cuil. à soupe
d'huile de sésame

150 g de potimarron

200 g de germes
de soja

tamari, sel

Graines de soja
sauce curry

POUR 4 PERSONNES

Préparez la sauce : dans une petite cocotte, faites compoter avec l'huile d'olive les légumes et les fruits émincés 5 min. Ajoutez le curry, le gingembre, la cardamome, la citronnelle et le sucre. Salez et inter-calez un rond de papier entre la cocotte et le cou-vercle. Faites cuire à très petit feu. Quand tous les légumes et les fruits sont bien fondus, mixez fine-ment en ajoutant 25 cl de crème fraîche.

Faites rissoler l'oignon finement ciselé dans l'huile d'olive, ajoutez les graines de soja, les algues et ver-sez 60 cl d'eau contenant 10 g de miso dilué. Assaisonnez de sel et de quelques gouttes de Tabasco. Couvrez d'un rond de papier et faites cuire à petit feu 20 min. Puis, ajoutez la pomme fruit détaillée en petits cubes et poursuivez la cuis-son 10 min. En fin de cuisson, ajoutez 1 cuil. à soupe de ciboulette émincée.

Émincez finement le potimarron, mélangez-le aux germes de soja et faites sauter le tout à la poêle avec l'huile de sésame. Salez légèrement et déglacez avec quelques gouttes de tamari. Le potimarron doit rester *al dente*.

Faites cuire 100 g de riz basmati à l'anglaise dans 1 litre d'eau parfumée de 10 g de miso. Mélangez le riz cuit avec les graines de soja.

Présentez suivant le modèle de la photo avec quelques graines de sésame et une fine julienne de potimarron (facultatif).

Préparation : 45 min
Cuisson : 1 h

Ingrédients

1 petit chou vert frisé

FARCE

300 g de vert de blettes

30 g d'huile d'olive

100 g d'oignons

150 g de poireaux

30 g de céleri

150 g de cœur de chou

2 gousses d'ail hachées

1 pincée de thym

4 gouttes de Tabasco

1 cuil. à soupe
de tamari

150 g de ricotta

1 cuil. à soupe
de persil haché

2 œufs

50 g de pain
demi-complet mixé

sel

Chou farci

pour 4 personnes

Détachez 8 grandes feuilles du chou et gardez le cœur entier. Dans une grande marmite d'eau bouillante salée, faites blanchir les feuilles de chou 5 min environ, égouttez-les et plongez-les dans l'eau glacée. Puis, faites blanchir les feuilles de blettes 3 min, égouttez-les, rafraîchissez-les, pressez-les fortement et concassez-les.

Préparez la farce : taillez en paysanne les oignons, les poireaux, le céleri, le cœur du chou. Dans une cocotte à fond épais, faites chauffer l'huile d'olive et faites rissoler tous ces légumes avec l'ail haché. Laissez cuire 10 min, en intercalant un rond de papier entre la cocotte et le couvercle et en remuant de temps en temps. Ajoutez les blettes hachées, le thym, le sel, le Tabasco et le tamari. Faites cuire encore 5 min, toujours à couvert. Retirez du feu et incorporez la ricotta détaillée en petits morceaux, le persil haché, les œufs battus et le pain mixé. Rectifiez l'assaisonnement.

Étalez les feuilles de chou sur la table, retirez la partie dure de la côte avec un petit couteau, sans couper la feuille en deux.

Posez 3 cuillerées à soupe de farce au milieu de chaque feuille, repliez pour former un paquet et rangez dans un plat à gratin grassement beurré. Faites cuire 20 min au four préchauffé à 210 °C (th. 7). Au bout de 15 min de cuisson, couvrez les farcis d'un papier d'aluminium beurré.

Faites cuire les pommes de terre en robe des champs 25 min environ à l'eau salée.

Épluchez la betterave, coupez-la en deux et détaillez des tranches de 5 mm d'épaisseur. Faites cuire *al dente* dans 1/2 litre d'eau salée parfumée d'une cuillerée à soupe de tamari.

Disposez 2 choux farcis dans chaque assiette. Épluchez les pommes de terre et émincez-les en tranches de 3 mm d'épaisseur.

Reconstituez chaque pomme de terre en alternant avec des tranches de betterave. Décorez de cornichons et de petits oignons, de gelée de groseille et de persil.

Ingrédients

GARNITURE

4 pommes de terre

1 betterave rouge

50 g de cornichons

50 g de petits oignons

50 g de gelée de groseille

4 branches de persil

1 cuil. à soupe de tamari

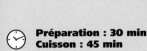

Quenelles de pommes de terre à la ratatouille

pour 4 personnes

**Préparation : 30 min
Cuisson : 45 min**

Ingrédients

QUENELLES

4 grosses pommes de terre

50 g de beurre

1 œuf

sel

1 pincée de noix de muscade

Tabasco

50 g de semoule de blé fine

50 g de farine

RATATOUILLE

2 cuil. à soupe d'huile d'olive

80 g d'oignon

100 g de poivrons rouges

150 g de courgettes

120 g d'aubergine

150 g de tomates

sel

1 cuil. à café de sucre

4 gouttes de Tabasco

1 pincée d'herbes de Provence

FINITION

1 filet + 1 cuil. à soupe d'huile d'olive

1 gousse d'ail hachée très fin

8 feuilles de basilic

Préparez les quenelles : faites cuire les pommes de terre au four préchauffé à 210 °C (th. 7), pendant 45 min environ. Retirez la pulpe bien chaude et passez-la au moulin à légumes immédiatement. Incorporez 50 g de beurre en morceaux, l'œuf, le sel, 1 pincée de noix de muscade et 4 gouttes de Tabasco. Mélangez bien et ajoutez la farine, puis la semoule, petit à petit. Formez des rouleaux de 1 cm de diamètre et découpez tous les 2 cm avec une fourchette. Réservez au frais.

Préparez la ratatouille : mondez la tomate et détaillez tous les légumes en brunoise. Dans une cocotte à fond épais, faites chauffer l'huile d'olive et faites rissoler à feu vif les oignons et le poivron, pendant 3 min. Puis ajoutez les courgettes et l'aubergine et laissez encore 5 min. Ajoutez les tomates, du sel, une pincée de sucre, quelques gouttes de Tabasco et les herbes de Provence. Couvrez d'un rond de papier et laissez compoter à petit feu 5 min.

Pochez les quenelles 4 min dans une eau frémissante salée contenant un filet d'huile d'olive.

Dans une poêle, faites chauffer 1 cuil. à soupe d'huile d'olive. Ajoutez l'ail, le basilic et, immédiatement après, les quenelles bien égouttées. Laissez mijoter 2 min.

Dressez suivant le modèle de la photo.

Préparation : 20 min
Cuisson : 35 min

Ingrédients

30 g d'huile d'olive

200 g de petits oignons

200 g de blanc de poireaux

80 g de côtes de céleri

150 g de carottes

150 g de courgettes

150 g de fenouil

150 g de petits champignons

SAUCE VELOUTÉE

20 g de beurre

20 g de farine

10 g de miso

100 g d'oignons

2 gousses d'ail

1 bouquet garni

2 feuilles de sauge

1 pincée de graines de coriandre

2 clous de girofle

sel

Fricassée de légumes et riz sauvage

pour 4 personnes

Épluchez les petits oignons. Tronçonnez les blancs de poireaux sur 2 cm de longueur. Coupez les côtes de céleri en deux dans le sens de la longueur et tronçonnez-les sur 2 cm de longueur. Coupez les carottes et les courgettes en quatre dans le sens de la longueur, puis tronçonnez-les sur 2 cm de longueur. Gardez 3 cm de hauteur dans la découpe du fenouil, puis fendez en deux et détaillez des quartiers de 1 cm d'épaisseur.

Triez et lavez les champignons.

Préparez la sauce veloutée : faites un roux blanc avec le beurre et la farine, versez 50 cl d'eau bouillante parfumée avec le miso, en fouettant jusqu'à l'ébullition. Ajoutez les oignons émincés, l'ail, le bouquet garni, tous les épices et aromates. Salez et laissez cuire 15 min à petit feu. Passez au chinois.

Faites cuire le riz sauvage dans 1 litre d'eau bouillante salée parfumée au miso, jusqu'à ce que le riz soit tendre. Égouttez-le.

Dans une poêle avec très peu d'huile d'olive, faites rissoler à feu vif et rapidement tous les légumes les uns après les autres, en ajoutant chaque fois un tout petit peu d'huile. Réunissez-les dans une cocotte, versez la sauce veloutée, la crème fraîche, le sel, le Tabasco et le safran. Faites cuire à petite ébullition pendant 15 min. Retirez les légumes de la sauce et réservez au chaud.

Faites réduire la sauce de moitié. Liez avec les jaunes d'œufs dilués dans 30 g de crème fraîche. Passez au chinois, rectifiez l'assaisonnement.

Pochez les œufs 3 min à l'eau bouillante légèrement vinaigrée, puis égouttez-les.

Disposez les légumes sur les assiettes et posez un œuf par-dessus. Nappez de sauce l'ensemble de la préparation, mettez un cordon de riz sauvage, des croutons frottés à l'ail et les branches de cerfeuil.

Ingrédients

SAUCE FRICASSÉE

25 g + 30 g de crème fraîche

2 g de safran

4 gouttes de Tabasco

sel

2 jaunes d'œufs

GARNITURE

4 œufs

150 g de riz sauvage

10 g de miso

sel

4 tranches de pain demi-complet

1 gousse d'ail

branches de cerfeuil

Préparation : 40 min
Cuisson : 1 h 10

Ingrédients

KASHA

20 g de beurre

50 g d'oignon

100 g de kasha

1 cuil. à café
de tamari

PANADE

100 g de beurre

sel

1 cuil à café
de paprika

75 g de farine
demi-complète

75 g de farine
de sarrasin

3 blancs d'œufs

1 cuil. à soupe de
ciboulette émincée

Quenelles de sarrasin à la crème de concombre

pour 4 personnes

Ciselez finement l'oignon, faites-le suer dans une cocotte avec le beurre 3 min. Ajoutez le kasha et nacrez la céréale. Mouillez d'une fois et demie le volume de la céréale avec l'eau et le tamari. Salez. Couvrez d'un rond de papier. Faites cuire 15 min à petit feu.

Portez 1/4 de litre d'eau à ébullition avec le beurre, le sel et le paprika. Baissez le feu, précipitez la farine de sarrasin et la farine complète, et mélangez énergiquement avec une spatule en bois afin de dessécher la panade. Remontez le feu et mélangez pendant environ 2 min. Retirez du feu, débarrassez dans un saladier et incorporez petit à petit 3 blancs d'œufs.

Détaillez en fine brunoise les carottes, le céleri, la courgette, le potimarron et les concombres. Faites sauter vivement à la poêle pendant 3 min avec 20 g d'huile d'olive.

Mélangez à la panade, la brunoise, le kasha et la ciboulette. Rectifiez l'assaisonnement en sel et paprika. Façonnez des quenelles en remplissant 1 cuillère bien tassée et en appliquant par-dessus une cuillère vide. Posez les quenelles sur une plaque creuse beurrée. Versez délicatement de l'eau chaude à hauteur et amenez cette eau à frémissement. Égouttez les quenelles et rangez-les dans un plat creux.

Épluchez les concombres et levez, avec une petite cuillère à légumes, 48 boules. Réservez les parures et émincez-les en retirant les pépins. Faites blanchir les boules, égouttez-les et faites-les cuire 5 min dans 1/4 de litre de crème fraîche assaisonnée de sel, de Tabasco et de tamari. Veillez à garder les boules très fermes.

Préparez la crème de concombre : confectionnez un roux blanc avec le beurre et la farine. Versez 1/2 litre d'eau parfumée avec le miso, en remuant au fouet jusqu'à ébullition. Puis ajoutez les parures des concombres. Faites cuire 15 min, puis ajoutez la crème qui a servi à faire cuire les boules de concombre. Mixez cette sauce, rectifiez l'assaisonnement et nappez les quenelles. Faites cuire 15 min au four préchauffé à 180 °C (th. 6).

Présentez les quenelles avec les boules de concombre, des brins de ciboulette et poudrez de paprika.

Ingrédients

BRUNOISE

20 g d'huile d'olive

100 g de carottes

20 g de céleri

80 g de courgette

80 g de potimarron

100 g de concombres

VELOUTÉ

30 g de beurre

30 g de farine

10 g de miso

GARNITURE

250 g de concombres

1/4 l de crème fraîche

2 gouttes de Tabasco

1 cuil. à café de tamari

sel

DÉCOR

paprika

brins de ciboulette

 Préparation : 25 min
Cuisson : 25 min

Ingrédients

4 feuilles
de popadum
(épiceries indiennes)

huile d'arachide
pour la friture

RIZ

50 g de graisse
végétale

80 g d'oignon

200 g de riz basmati

420 g d'eau + 10 g
de miso (bouillon)

1 petit morceau
de cannelle

3 graines
de cardamome

3 clous de girofle

1 cuil. à café
de curry,
de curcuma
et de gingembre

2 yaourts

sel

AUBERGINES

20 g de graisse
végétale

200 g d'aubergines

100 g de petits pois

200 g de tomates

1 cuil. à soupe
de tamari, sel

DÉCOR

10 g de pavot

Riz à l'indienne

pour 4 personnes

Faites frire les feuilles de popadum entre deux
louches.

Dans une cocotte, faites rissoler l'oignon finement
ciselé avec la graisse végétale. Ajoutez le riz et faites-le
nacrer 2 min. Mouillez avec le bouillon. Ajoutez la
cannelle, la cardamome, les clous de girofle, le curry,
le curcuma, le gingembre et le sel. Intercalez un rond
de papier entre la cocotte et son couvercle et faites
cuire à petit feu pendant 15 min. Retirez du feu,
égrenez le riz à la fourchette et mélangez-le avec les
yaourts. Rectifiez l'assaisonnement.

Épluchez les aubergines, détaillez-les en petits cubes,
faites-les blanchir dans l'eau bouillante salée et égouttez-les. Mondez, épépinez et concassez les tomates.
Cuisez les petits pois à l'anglaise et égouttez-les.

Dans une cocotte, chauffez la graisse végétale, faites
rissoler les aubergines 3 min, ajoutez les tomates
concassées, les petits pois, le tamari et le sel.
Couvrez d'un rond de papier et faites compoter
5 min à petit feu.

Répartissez le riz dans les 4 galettes croustillantes,
poudrez de graines de pavot. Posez les galettes sur
les assiettes et entourez-les des aubergines.

Légumes à la pâte d'arachide façon Aïda

pour 4 personnes

Préparation : 45 min
Cuisson : 40 min

Ingrédients

30 g d'huile d'arachide

200 g d'oignons garniture

200 g de poireaux

120 g de chou vert frisé

60 g de céleri branche

180 g de carottes

200 g de courgettes

100 g de gombos

250 g de tomates

80 g de pâte d'arachide

1 cuil. à soupe de tamari

sel, 4 gouttes de Tabasco

Céréale

30 g d'huile d'arachide

200 g de boulghour

sel

50 g de noix de cajou

50 g de cacahuètes

30 g d'amandes effilées

30 g de noix de coco

Décor

1/2 paquet de coriandre

Épluchez les petits oignons. Épluchez, lavez et taillez en morceaux de 2 cm x 3 cm les carottes, les courgettes, les poireaux, le céleri et le chou vert. Mondez, épépinez et concassez les tomates. Triez les gombos. Rapez la noix de coco. Torréfiez les amandes.

Dans une cocotte, faites chauffer l'huile d'arachide et faites-y rissoler les oignons garniture à feu vif, pendant 3 min. Ajoutez les poireaux, le chou, le céleri et les carottes. Faites cuire 10 min à couvert, puis ajoutez les courgettes, les gombos et les tomates. Faites cuire à nouveau 3 min, assaisonnez de sel et de Tabasco.

Délayez la pâte d'arachide et le tamari dans 1/4 de litre d'eau bouillante. Versez sur les légumes et faites cuire à ébullition et à couvert 10 min, en remuant de temps en temps.

Pendant ce temps, dans une cocotte en fonte, faites chauffer 30 g d'huile d'arachide et faites-y nacrer le boulghour 2 min à feu doux, puis mouillez avec 1/4 de litre d'eau bouillante salée. Rectifiez l'assaisonnement. Couvrez d'un rond de papier et faites cuire à feu très doux 15 min. Retirez du feu et incorporez les fruits secs et la noix de coco.

Saupoudrez les légumes de coriandre fraîche concassée.

Préparation : 30 min
Cuisson : 1 h

Ingrédients

PÂTE À NOUILLES

200 g de farine

2 œufs

2 cuil. à soupe
d'huile d'olive

1 pincée de sel

SAUCE BÉCHAMEL

50 cl de lait

30 g de beurre

30 g de farine

1 pincée de noix
de muscade

4 gouttes de Tabasco

sel

TOMATES CONCASSÉES

30 g d'huile d'olive

80 g d'oignon

1 gousse d'ail

400 g de tomates

1 pincée d'herbes
de Provence

1 cuil. à café
de tamari

1 pincée de sucre

sel

Lasagne aux aubergines

pour 4 personnes

Préparez la pâte à nouilles : dans un saladier, faites une fontaine avec la farine. Au milieu, cassez les œufs, versez l'huile d'olive et le sel. Mélangez bien en travaillant avec la main, afin d'obtenir une pâte souple et homogène. Enveloppez de papier film pour éviter le dessèchement.

Réalisez une sauce béchamel légère, en faisant un roux blanc avec le beurre et la farine. Versez le lait et amenez à ébullition en remuant avec un fouet. Assaisonnez de sel, de muscade et de Tabasco. Laissez cuire à petit feu 15 min.

Préparez les tomates concassées : mondez, épépinez et concassez les tomates, ciselez finement l'oignon et écrasez l'ail. Dans une cocotte chauffez l'huile d'olive, faites rissoler l'oignon, ajoutez l'ail, les tomates, les herbes de Provence, le sel, 1 pincée de sucre et le tamari. Faites cuire 15 min à petit feu, couvrez d'un rond de papier.

Mélangez et mixez la béchamel et les tomates concassées.

Pelez les aubergines avec un économe, en ôtant une lanière de peau sur deux. Détaillez des tranches de

3 mm d'épaisseur, passez-les dans la farine très superficiellement et dorez à la poêle avec l'huile d'olive. Puis égouttez sur du papier absorbant. Détaillez de fines tranches de mozzarella et râpez le parmesan. Beurrez un moule à gratin.

Abaissez finement la pâte à nouilles sur 1 mm d'épaisseur. Coupez 3 abaisses de la taille du moule et tapissez l'intérieur d'une abaisse avec le reste de la pâte. Disposez une couche de tranches d'aubergine, nappez de sauce et posez par-dessus quelques tranches de mozzarella. Posez une abaisse et renouvelez cette opération 3 fois. Terminez par une couche de sauce, saupoudrez de parmesan et faites cuire au four préchauffé à 180 °C (th. 6) pendant 20 min.

Servez aussitôt.

Ingrédients

GARNITURE

10 cl d'huile d'olive

30 g de farine

350 g d'aubergines

180 g de mozzarella

30 g de parmesan

20 g de beurre fondu

Spaghetti aux zestes de citron et d'orange

pour 4 personnes

Préparation : 30 min
Cuisson : 30 min

Ingrédients

1 cuil. à soupe
d'huile d'olive

1 feuille de laurier
et de sauge

1 branche de thym
et de sarriette

200 g de spaghetti

TOMATES CONCASSÉES

30 g d'huile d'olive

50 g d'oignon, sel

2 gousses d'ail

400 g de tomates

1 bouquet garni

1 cuil. à café de sucre,
d'herbes de Provence
et de tamari

6 gouttes de Tabasco

GARNITURE

5 cl d'huile d'olive

200 g de courgettes

150 g de fenouil

200 g d'aubergines

2 g d'algues iziki

100 g de crème
fraîche

1/2 l d'huile d'arachide
pour la friture

FINITION

30 g de parmesan

1/2 orange, 1/2 citron

Mondez, épépinez et concassez les tomates. Dans une cocotte, faites rissoler à feu vif l'oignon avec l'huile d'olive, ajoutez l'ail haché, puis les tomates, le sel, le sucre, le Tabasco, le tamari, le bouquet garni et les herbes de Provence. Cuisez à petit feu 15 min, en couvrant d'un rond de papier la préparation.

Avec un économe, retirez les zestes d'une 1/2 orange et d'un 1/2 citron. Émincez-les en fine julienne et faites-les blanchir.

À l'aide d'un économe, retirez une lanière de peau sur deux aux aubergines et épluchez le fenouil. Coupez les extrémités des courgettes. Détaillez les 3 légumes en brunoise de 1/2 cm de côté.

Faites cuire les courgettes et le fenouil à l'anglaise, très *al dente*. Faites cuire les aubergines dans un bain de friture à l'huile d'arachide. Réhydratez les algues. Égouttez-les et retaillez celles qui sont trop longues en 2 ou 3 morceaux.

Portez à ébullition 3 litres d'eau salée contenant les aromates et l'huile d'olive. Quand l'eau est arrivée à ébullition, retirez les herbes et plongez les spaghetti en mélangeant jusqu'à la reprise de l'ébullition. Comptez environ 9 min et égouttez-les.

Chauffez 5 cl d'huile d'olive, mélangez-y les spaghetti, liez avec les tomates concassées et la crème fraîche. Ajoutez les algues et les brunoises de légumes.

Parsemez de parmesan râpé et de julienne de zestes d'agrumes.

Préparation : 30 min
Cuisson : 40 mn

Ingrédients

PANISSES

3 cuil. à soupe
d'huile d'olive

100 g de farine
de pois chiches

BOHÉMIENNE

30 g d'huile d'olive

200 g d'oignons

150 g de poivrons
rouges

200 g de courgettes

200 g d'aubergines

1 gousse d'ail hachée

1/2 cuil. à café
d'herbes de Provence

6 gouttes de Tabasco

sel

sucre

GARNITURE

2 petites tomates

8 gousses d'ail
non épluchées

herbes de Provence

huile d'olive

sel

DÉCOR

4 branches de
basilic vert et rouge

Bohémienne
de grand-mère Laure

pour 4 personnes

Préparez les panisses : faites tiédir 1/4 de litre d'eau avec l'huile d'olive et le sel. Versez l'eau sur la farine de pois chiches, mélangez énergiquement et amenez à ébullition. Versez la préparation dans un petit plat sur 1/2 cm d'épaisseur et laissez refroidir.

Préparez la bohémienne à l'aide d'un économe, retirez aux aubergines une lanière de peau sur deux, coupez les extrémités des courgettes, éliminez la queue et les graines des poivrons. Détaillez les légumes et les oignons en cubes de 2 cm de côté. Chauffez l'huile d'olive dans une cocotte et faites-y rissoler les oignons et les poivrons 5 min. Ajoutez les courgettes, l'ail et les aubergines et faites rissoler 3 min. Assaisonnez de sel, de sucre, de Tabasco et d'herbes de Provence. Couvrez d'un rond de papier et laissez compoter à petit feu.

Coupez en deux les aubergines et posez-les bien à plat. Pratiquez des incisions dans la chair tous les 3 mm sur les trois quarts de la longueur. Glissez dans ces interstices des tranches de tomate.

Posez les aubergines sur un plat à gratin avec les gousses d'ail en chemise. Poudrez d'herbes de Provence, salez et arrosez d'un filet d'huile d'olive. Faites cuire à four préchauffé à 180 °C (th. 6), 20 min.

Détaillez en bandes de 3 cm de largeur les panisses et faites dorer les deux faces à la poêle, avec les 5 cl d'huile d'olive.

Dressez suivant le modèle de la photo.

 Préparation : 40 min
Cuisson : 30 min

Ingrédients

BOURRIDE

30 g d'huile d'olive

200 g d'oignons grelots

200 g de blanc de poireaux

200 g de fenouil

200 g de courgettes

100 g de haricots verts effilés

100 g de céleri-rave

200 g de pommes de terre

1 cuil. à soupe de tamari, sel

VELOUTÉ

1 cuil. à soupe d'arrow-root

1 petit zeste d'orange

1 clou de girofle

6 gouttes de Tabasco

sel

SAUCE BOURRIDE

100 g de crème fraîche

8 gousses d'ail

2 jaunes d'œufs

5 cl d'huile d'olive

Bourride de légumes

pour 4 personnes

Épluchez les petits oignons et coupez les blancs de poireaux en tronçons de 2 cm de longueur. Détaillez des petits quartiers de fenouil de même hauteur. Coupez les courgettes en quatre et tronçonnez les quartiers. Détaillez les pommes de terre et le céleri-rave en morceaux équivalents (tous les légumes détaillés doivent avoir la même dimension).

Dans un grand volume d'eau bouillante salée, faites cuire à l'anglaise, très *al dente*, les haricots verts puis le céleri-rave et enfin les pommes de terre.

Dans une cocotte, chauffez l'huile d'olive, faites rissoler les petits oignons 3 min, ajoutez les blancs de poireaux, le fenouil et les courgettes. Faites cuire 5 min en intercalant un rond de papier entre le récipient et son couvercle. Ajoutez les légumes cuits à l'anglaise, 30 cl d'eau et le tamari. Faites cuire 5 mn à ébullition et à couvert.

Préparez le velouté : égouttez tout le bouillon, amenez à ébullition et versez l'arrow-root dilué dans 3 cuillerées à soupe d'eau, en remuant constamment. Ajoutez le zeste d'orange, le clou de girofle, le sel et le Tabasco. Faites cuire 5 min.

Préparez la sauce bourride : épluchez l'ail, faites-le blanchir et cuisez-le dans la crème à petit feu, pendant 10 min.

Réunissez la crème et l'ail avec le velouté. Mixez, ajoutez les jaunes d'œufs et continuez de mixer en versant l'huile d'olive.

Rectifiez l'assaisonnement et passez au chinois étamine.

Toastez les tranches de pain, puis frottez-les avec 1 gousse l'ail.

Coupez un couvercle sur les tomates garniture et évidez-les. Dans une petite cocotte, chauffez l'huile d'olive, versez les graines de couscous, mélangez durant 2 min environ avec le safran. Mouillez avec 8 cl d'eau salée chaude, retirez du feu et couvrez d'un rond de papier. Laissez gonfler le couscous.

Garnissez les tomates de couscous en tassant bien, posez les couvercles, rangez dans un petit plat et faites cuire au four préchauffé à 180 °C (th. 6) pendant 15 min.

Répartissez les légumes dans les assiettes, nappez de la sauce à l'ail, disposez harmonieusement une tomate farcie, un toast de pain et d'une branche de cerfeuil.

Ingrédients

sel

GARNITURE

4 tranches de pain demi-complet

4 tomates garniture

2 cuil. à soupe d'huile d'olive

80 g de couscous

2 g de safran

1/4 de bouquet de cerfeuil

1 gousse d'ail

Préparation : 45 min
Cuisson : 30 min

Ingrédients

20 g d'huile d'arachide

180 g d'oignons

180 g de poireaux

50 g de céleri

100 g de carottes

150 g de courgettes

150 g d'aubergine

150 g de chou-fleur

2 gousses d'ail hachées

1 cuil. à café de curry,
de curcuma,
de gingembre

1 pincée de cardamome
et de citronnelle

100 g de pommes
golden

80 g de banane mûre

150 g de tomates

2 cuil. à soupe
d'huile d'olive

100 g de pleurotes

100 g de champignons
de Paris, sel

SAUCE BÉCHAMEL

20 g de beurre

20 g de farine

35 cl de lait

noix de muscade

4 gouttes de Tabasco

tamari

GARNITURE

200 g de riz
demi-complet

Curry de légumes

pour 4 personnes

Taillez en cubes de 2 cm les poireaux, les oignons, les courgettes, le chou-fleur et l'aubergine. Triez, lavez et coupez en deux les champignons. Émincez le céleri. Mondez, épépinez et concassez les tomates. Épluchez et taillez en cubes de 1 cm la banane et les pommes.
Chauffez l'huile d'olive dans un poêle et rissolez vivement les champignons. Égouttez-les et réservez-les.
Préparez la sauce béchamel : faites un roux avec le beurre et la farine. Versez le lait, assaisonnez avec le tamari, le sel, la noix de muscade et le Tabasco. Faites cuire la béchamel 15 min.
Dans une cocotte, faites chauffer l'huile et faites-y revenir les oignons, les poireaux et le céleri, durant 5 min. Ajoutez les carottes, les courgettes, le chou-fleur et l'aubergine. Faites cuire 5 min à feu vif en remuant de temps en temps, puis ajoutez l'ail et toutes les épices. Baissez le feu et laissez cuire 5 min en posant un rond de papier. Ajoutez les pommes, la banane, les tomates et les champignons. Poursuivez la cuisson 3 min à couvert. Puis, versez la béchamel et remuez de temps en temps en laissant mijoter encore 5 min. Rectifiez l'assaisonnement. Faites cuire le riz à l'anglaise.
Dressez en accompagnant le riz de quelques fruits exotiques détaillés en brunoise, de quelques pignons de pin, d'amandes effilées et de noix de coco. Décorez de branches de coriandre fraîche (facultatif).

**Préparation : 50 min
Cuisson : 1 h
Repos de la pâte :
2 h minimum**

Ingrédients

PÂTE À BRIOCHE

250 g de farine
demi-complète

25 g de sucre

5 g de sel

3 œufs

10 g de levure
de boulanger

5 cl de lait

125 g de beurre

FARCE

30 g de beurre

200 g de poireaux

5 cl d'huile d'olive

80 g de haricots verts

80 g d'asperges vertes

50 g de petits pois

80 g de carotte fane

60 g de navet fane

80 g de courgette

2 artichauts

sel

Brioches aux légumes du printemps

pour 6 personnes

Préparez la pâte à brioche : dans la cuve du mixeur, mettez au fur et à mesure la farine, le sucre, le sel, les œufs et la levure diluée dans le lait tiède. Mixez 5 min jusqu'à l'obtention d'une pâte homogène, puis incorporez le beurre en parcelles, tout en continuant de mixer 8 min. Débarrassez dans un saladier, recouvrez de papier film et réservez 1 h à l'étuve à 35 °C. Malaxez la pâte, puis réservez au réfrigérateur au moins 2 h.

Effilez les haricots verts, triez et épluchez les asperges, écossez les petits pois, épluchez la carotte et le navet, coupez les extrémités de la courgette, tournez et émincez les artichauts, puis enfin triez, lavez et taillez en paysanne les poireaux.

Dans une cocotte, faites fondre le beurre et mettez-y à suer les poireaux. Salez, posez un rond de papier et faites cuire à petit feu 8 min. Cuisez *al dente*, à l'anglaise, les haricots verts.

Émincez les légumes, les haricots verts, les asperges, la carotte, le navet et la courgette. Mélangez les petits pois et les artichauts. Dans une poêle très chaude contenant l'huile d'olive, faites sauter tous les légumes en les gardant *al dente*. Salez légèrement.

Abaissez la pâte à brioche en rectangle sur 2 cm d'épaisseur, étalez régulièrement par-dessus la tombée de poireaux, puis répartissez régulièrement les légumes sautés. Roulez la pâte sur elle-même dans la plus grande largeur, afin d'enfermer toute la garniture et d'obtenir un très gros rouleau.

Posez le rouleau sur une plaque à pâtisserie et laissez lever 1 heure à l'étuve 60 °C.

Badigeonnez la brioche de dorure, poudrez de graines de pavot et faites cuire au four préchauffé à 180 °C (th. 6), environ 35 min.

Préparez le beurre blanc : faites réduire de moitié le vin blanc contenant les échalotes. Incorporez au mixeur plongeant le beurre coupé en parcelles, puis assaisonnez de sel, de Tabasco et de tamari.

Détaillez la brioche en tranches et servez les tranches arrosées du beurre blanc.

Ingrédients

BEURRE BLANC

25 g d'échalotes ciselées

10 cl de vin blanc

150 g de beurre

4 gouttes de Tabasco

1 cuil. à café de tamari

sel

DÉCOR

1 jaune d'œuf pour la dorure

5 g de graines de pavot

Blinis aux parfums de Hongrie

pour 4 personnes

**Préparation : 45 min
Cuisson : 35 min
Fermentation de la pâte : 40 min**

Ingrédients

BLINIS

100 g de farine de sarrasin

80 g de farine de blé

15 g de levure de boulanger fraîche

1/4 l de lait

3 petits œufs (jaunes et blancs séparés)

1 pincée de noix de muscade

10 cl de crème fraîche

4 gouttes de Tabasco

sel

suite page 152

Préparez les blinis : mélangez les 2 farines dans un saladier. Faites une fontaine et mettez-y les jaunes d'œufs, la levure diluée dans le lait tiède, le sel, la muscade et le Tabasco. Mélangez bien, afin d'obtenir une pâte lisse. Couvrez le saladier d'un papier film et laissez lever la pâte dans une étuve à 35 °C pendant 40 min. Montez les blancs en neige très ferme et incorporez-les délicatement à la pâte. Montez la crème fraîche et incorporez-la à la pâte. Faites cuire les blinis dans une poêle à crêpes. Coupez les blinis en deux.

Épluchez les petits oignons et les concombres. Coupez les concombres en deux, égrainez-le et taillez-le en bâtonnets de 3 cm de long sur 1 cm de côté. Coupez les extrémités des courgettes et taillez-les comme les concombres.

Émincez en paysanne les poireaux et les poivrons. Triez, lavez et coupez en quatre les champignons. Détaillez le seitan de la grosseur des courgettes.

Faites rissoler vivement le seitan avec 40 g de graisse végétale, puis égouttez-le dans une passoire. Faites sauter vivement les champignons, puis égouttez-les sur le seitan. Faites blanchir les concombres, puis les courgettes, et égouttez-les. *Suite de la recette page suivante.*

Ingrédients

GOULASH

80 g de graisse végétale

150 g de petits
oignons garniture

150 g de poireaux

100 g de poivrons
rouges

5 g de paprika

10 cl de vin blanc

1 cuil. à soupe
d'arrow-root

250 g de seitan

100 g de champignons
de Paris

150 g de concombres

150 g de courgettes

50 g de crème fraîche

sel

DÉCOR

1 petit concombre

1/2 bouquet
de ciboulette

Dans une cocotte à fond épais, faites rissoler 5 min les petits oignons dans 40 g de graisse végétale, puis ajoutez les poivrons et les poireaux. Faites rissoler à découvert pendant 5 min, ajoutez le paprika, déglacez avec le vin blanc et ajoutez 1/4 de litre d'eau. Amenez à ébullition et liez avec l'arrow-root dilué dans 3 cuillerées à soupe d'eau froide. Mélangez le seitan, les champignons, les concombres et les courgettes. Versez la crème fraîche, rectifiez l'assaisonnement et laissez mijoter 10 min.

Pour servir : cannelez le concombre, émincez-le en tranches de 2 cm d'épaisseur et blanchissez-le.

Disposez les blinis et les tranches de concombre. Parsemez de ciboulette et dressez les légumes au centre suivant la photo page précédente.

Fenouil en bouillabaisse

pour 4 personnes

Préparation : 25 min
Cuisson : 20 min

Émincez les algues kombu, cuisez-les à ébullition dans 1/2 litre d'eau pendant 5 min. Égouttez-les et réservez-les.

Taillez en paysanne, les oignons, les poireaux et le céleri.

Dans une cocotte, chauffez l'huile d'olive et rissolez les légumes en paysanne, le thym et le laurier pendant 5 min.

Épluchez et taillez les pommes de terre en tranches de 1 cm d'épaisseur. Ajoutez-les sur la paysanne de légumes avec le zeste d'orange, le safran, le sel, le Tabasco et les algues kombu. Ajoutez 40 cl d'eau et faites cuire à couvert à petite ébullition 5 min.

Émincez les fenouils comme les pommes de terre et faites-les sauter vivement à la poêle avec 2 cuillerées à soupe d'huile d'olive, sans coloration et mélangez dans la bouillabaisse.

Mondez, épépinez et concassez les tomates, ajoutez-les et laissez mijoter 5 min à découvert. Servez aussitôt décoré avec le pistil de safran, le persil haché, la barbe de fenouil et les algues réhydratées.

Ingrédients

4 cuil. à soupe d'huile d'olive

100 g d'oignons

100 g de poireaux

40 g de céleri branche

1 petite branche de thym

2 feuilles de laurier

350 g de pommes de terre

1 petit zeste d'orange

1 g de safran

6 gouttes de Tabasco

15 g d'algues kombu

sel

350 g de fenouil

250 g de tomates

DÉCOR

1 g de pistil de safran

1 cuil. à soupe de persil haché

80 g de barbe de fenouil

5 g de laitue de mer et algues iziki

Préparation : 45 min
Cuisson : 1 h 10

Ingrédients

200 g de pâte
feuilletée

25 g de farine

4 fenouils

1 jaune d'œuf

BRUNOISE

2 cuil. à soupe
d'huile d'olive

100 g de carottes

100 g de courgettes

40 g de céleri

100 g de blanc
de poireaux

100 g de potimarron

50 g de champignons
de Paris, sel

CHOP SUEY

5 cl d'huile d'olive

100 g de vert
de poireaux

150 g de fenouil

5 g d'algues iziki

tamari

SAUCE

1/4 l de crème fraîche

tamari

1/2 cuil. à café
d'anis vert mixé

4 gouttes de Tabasco

arrow-root, sel

Fenouil farci en croûte

pour 4 personnes

Préparez la brunoise : détaillez tous les légumes en fine brunoise. Faites chauffer l'huile d'olive dans une cocotte en fonte et versez la brunoise. Faites cuire à feu très vif, en remuant constamment : elle doit rester *al dente*.

Préparez le chop suey : coupez au ras des fenouils toutes les parties hautes avec les barbes. Émincez très finement le fenouil ainsi que les poireaux, mélangez avec les algues réhydratées. Faites sauter vivement à la poêle, dans l'huile d'olive. Déglacez avec 3 cuillerées à soupe d'eau et 1 cuil. à soupe de tamari.

Épluchez les fenouils à l'économe et plongez-les dans une eau bouillante salée. Faites cuire pendant 20 min, égouttez et rafraîchissez. Ouvrez les feuilles des fenouils comme un artichaut et farcissez-les de la brunoise de légumes.

Abaissez la pâte feuilletée sur 2 cm d'épaisseur et découpez dedans des triangles. Enveloppez chaque fenouil et disposez-les sur une plaque à pâtisserie. Badigeonnez de dorure. Faites cuire 35 min au four préchauffé à 210 °C (th. 7).

Préparez la sauce : amenez à ébullition la crème avec 1 cuil. à café de tamari, l'anis, le sel et le Tabasco. Diluez 1 cuil. à café d'arrow-root dans 3 cuillerées à soupe d'eau et versez sur la crème en remuant constamment pour lier.

Servez sur chaque assiette un fenouil farci en croûte avec un peu de chop suey à côté et entourez d'un cordon de sauce. Vous pouvez décorer les assiettes d'une branche de fenouil sec (facultatif).

Papillons Saint-Germain, sauce aurore

pour 4 personnes

Préparation : 25 min
Cuisson : 1 h 15

Ingrédients

200 g de pâtes
papillons 4 couleurs

30 g de beurre

FLAN DE POIS CASSÉS

150 g de pois cassés

3 gousses d'ail

1 bouquet garni

1 branche de sarriette

2 feuilles de sauge

80 g d'oignon

80 g de carotte

20 g de céleri branche

80 g de poireau

2 œufs, sel

SAUCE BÉCHAMEL

30 g de beurre

30 g de farine

1/2 l de lait

1 pincée de
noix de muscade

4 gouttes de Tabasco

1 cuil. à café
de tamari, sel

TOMATES CONCASSÉES

5 cl d'huile d'olive

80 g d'oignon

400 g de tomates

1 gousse d'ail hachée

1/2 cuil. à café
d'herbes de Provence

1 bouquet garni

Tabasco, sucre

Blanchissez et rafraîchissez les pois cassés.

Dans une marmite, mettez 3/4 de litre d'eau avec les pois cassés, les légumes (la carotte, l'oignon, le céleri et le poireau) taillés en paysanne. Ajoutez l'ail, le bouquet garni, la sarriette, la sauge et salez. Faites cuire 45 min à petit feu.

Préparez la sauce béchamel : faites un roux, puis versez le lait, mélangez au fouet, amenez à ébullition, assaisonnez de sel, d'une pincée de noix de muscade, de 4 gouttes de Tabasco et d'1 cuil. à café de tamari et laissez à petit feu 15 min.

Mondez, épépinez et concassez les tomates. Faites rissoler l'oignon ciselé avec l'huile d'olive dans une cocotte, ajoutez l'ail haché, les herbes de Provence, le bouquet garni et les tomates concassées. Assaisonnez de sel, de 4 gouttes de Tabasco et de sucre. Posez un rond de papier sur la préparation et laissez cuire 15 min.

Après cuisson des pois cassés, ôtez le bouquet garni, la sauge et la sarriette. Mixez les pois et les légumes avec 2 œufs. Versez la préparation dans 4 ramequins beurrés. Faites cuire 40 min au bain-marie dans un four préchauffé à 150 °C (th. 5).

Retirez le bouquet garni des tomates concassées et égouttez-les en conservant le jus. Mixez dans la béchamel la moitié de la concassée de tomates : c'est la sauce aurore.

Faites cuire les papillons dans l'eau bouillante salée environ 10 min et égouttez-les. Liez avec le beurre et le reste de la tomate concassée, puis ajoutez le jus réservé.

Démoulez sur chaque assiette un flan de pois cassés, nappez de sauce aurore, entourez de papillons.

Cannelloni au roquefort

pour 4 personnes

Préparation : 45 min
Cuisson : 1 h 10

Préparez la pâte à nouilles : mélangez ensemble tous les ingrédients, afin d'obtenir une pâte souple et homogène. Laissez reposer 1 heure dans du papier film.

Tronçonnez les poireaux en morceaux de 1/2 cm d'épaisseur. Chauffez le beurre, ajoutez les poireaux, salez et cuisez à basse température avec un rond de papier.

Torréfiez tous les fruits secs au four à 150 °C (th. 5), pendant 15 min.

Détaillez le roquefort en petits dés.

Préparez la sauce béchamel : mettez le beurre à fondre, ajoutez la farine et cuisez 5 mn. Versez le lait bouillant petit à petit, en remuant avec un fouet jusqu'à ébullition. Ajoutez sel, Tabasco et muscade. Cuisez 5 min à petite ébullition.

Préparez la farce : dans un saladier, mélangez les poireaux, le roquefort et 2 louches de béchamel.

Préparez les cannelloni : abaissez finement la pâte à nouilles sur 1 mm d'épaisseur et détaillez-y des rectangles de 8 à 12 cm. Sur chaque rectangle, étalez 2 cuillerées de farce froide et enroulez la pâte sur elle-même dans la plus petite largeur. Rangez-les côte à côte dans un plat à gratin beurré. Nappez avec le restant de sauce. Poudrez de parmesan râpé et faites cuire 35 min au four préchauffé à 180 °C (th. 6).

Juste avant de servir, parsemez le gratin de tous les fruits secs.

Ingrédients

PÂTE À NOUILLES

200 g de farine

2 œufs

2 cuil. à soupe d'huile d'olive

1 pincée de sel

SAUCE BÉCHAMEL

25 g de beurre

25 g de farine

3/4 l de lait

sel

1 pincée de noix de muscade

4 gouttes de Tabasco

FARCE ET GARNITURE

50 g de beurre

500 g de blanc de poireaux

100 g de roquefort

20 g de parmesan râpé

DÉCOR

20 g de pignons

20 g d'amandes entières

20 g de noix

20 g de noisettes

🕐 **Préparation : 30 min**
Cuisson : 45 min

Ingrédients

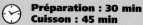

4 courgettes rondes

4 petites tomates

2 oignons blancs

4 fleurs de courge

2 petites aubergines

1 filet d'huile
d'olive

FARCE

30 g d'huile d'olive

80 g d'oignon

200 g de poireaux

500 g de vert
de blettes

50 g de riz 1/2 complet

20 g de levure
alimentaire maltée

30 g de parmesan
râpé

3 jaunes d'œufs

80 g de pain
demi-complet mixé

6 gouttes de Tabasco

1/2 cuil. à café
d'herbes de Provence

sel

Petits farcis niçois

pour 4 personnes

Épluchez les oignons blancs et coupez-les en deux. Faites-les blanchir 5 mn. Coupez un chapeau sur chaque courgette et évidez la pulpe avec une cuillère à légumes, coupez les aubergines en deux et évidez la pulpe avec une cuillère à légumes et blanchissez le tout 5 min. Retirez les pistils des fleurs de courgette. Coupez les chapeaux sur les tomates et évidez-les avec une cuillère à légumes.

Sur une plaque à rôtir, versez un peu d'huile et rangez les légumes évidés.

Préparez la farce : ciselez l'oignon et émincez les poireaux en paysanne. Faites blanchir le vert de blettes, égouttez-les et rafraîchissez-les, pressez bien et concassez.

Faites cuire le riz à l'anglaise.

Dans une cocotte à fond épais, faites chauffer l'huile d'olive et faites rissoler l'oignon et les poireaux environ 5 min. Ajoutez les blettes, le sel, le Tabasco et les herbes de Provence, mélangez et faites cuire vivement 2 min. Retirez du feu et incorporez le riz, la levure alimentaire, les jaunes d'œufs, le parmesan et le pain. Rectifiez l'assaisonnement.

Farcissez les fleurs de courgette et tous les légumes évidés et faites cuire 20 min au four préchauffé à 180 °C (th. 6).

Laitue braisée, beurre blanc

pour 4 personnes

Préparation : 40 min
Cuisson : 55 min

Ingrédients

4 petites laitues

25 g d'huile d'olive

150 g d'oignons

150 g de carottes

50 g de céleri branche

4 gousses d'ail

100 g de poireaux

thym, laurier

25 cl de vin blanc

poivre du moulin, sel

FARCE

2 cuil. soupe
d'huile d'olive

50 g de carotte

100 g de courgettes

20 g de céleri branche

100 g de poireaux

100 g de potiron

100 g de champignons
de Paris

60 g de semoule
de maïs

30 g de parmesan

1 cuil. à soupe
de cerfeuil, de persil
et d'estragon hachés

1 cuil. à soupe de
ciboulette émincée

4 gouttes de Tabasco

1 pincée de macis, sel

BEURRE BLANC

jus de cuisson

150 g de beurre, sel

Détaillez en brunoise la carotte, les courgettes, les poireaux, le céleri, le potiron et les champignons. Dans une cocotte, faites chauffer l'huile d'olive, faites rissoler la brunoise de légumes 5 min. Versez 1/4 de litre d'eau à ébullition et mélangez la semoule de maïs en remuant avec une spatule. Amenez à ébullition et faites cuire 5 min à petit feu. Retirez du feu et incorporez le parmesan râpé et les fines herbes. Assaisonnez de sel, de Tabasco et d'une pincée de macis.

Lavez les laitues, blanchissez-les, écartez les feuilles et farcissez le cœur avec la brunoise de légumes.

Émincez en paysanne les oignons, le céleri, les carottes et les poireaux. Faites suer dans une plaque à rôtir avec l'huile d'olive, ajoutez l'ail écrasé, 1 branche de thym et 2 feuilles de laurier. Ajoutez les laitues farcies et faites cuire au four préchauffé à 180 °C (th. 6) 20 min. Retirez du four, versez le vin blanc, assaisonnez de sel et de 6 tours de moulin à poivre. Couvrez d'un papier et laissez cuire de nouveau 20 min à la même température.

Retirez la plaque du four. Dressez les laitues, passez les légumes au chinois et réservez au chaud le jus de cuisson. Répartissez les légumes à côté des laitues.

Préparez le beurre blanc : incorporez le beurre au jus de cuisson avec un mixeur plongeant. Rectifiez l'assaisonnement.

Nappez les laitues de beurre blanc, poudrez de paprika et servez avec quelques pommes levées à la cuillère et cuites à l'anglaise.

Gâteau de lentilles

pour 4 personnes

Faites cuire le riz demi-complet 30 min dans une marmite d'eau salée parfumée avec le miso.

Dans une autre marmite, faites partir les lentilles dans 3/4 de litre d'eau froide avec tous les légumes, l'ail, le bouquet garni et la girofle. Faites cuire à petite ébullition 30 min. Au bout de ce temps, retirez le bouquet garni, éliminez le bouillon qui subsiste éventuellement. Mixez avec un mixeur plongeant et ajoutez les œufs sans cesser de mixer.

Avec une spatule, mélangez le riz parfaitement égoutté aux lentilles.

Beurrez 4 moules et garnissez-les de la préparation. Faites cuire au bain marie 35 min au four préchauffé à 150 °C (th. 5).

Préparez la sauce : dans 25 g d'huile d'olive, faites rissoler à feu vif les oignons taillés en mirepoix. Ajoutez l'ail, les herbes de Provence et faites cuire pendant 5 min. Ajoutez le potimarron émincé, sans l'éplucher, et 5 cl d'eau. Intercalez un rond de papier entre le récipient et son couvercle et faites cuire 15 min à petit feu. Mixez et incorporez 5 cl d'huile d'olive et 10 cl d'eau bouillante. Rectifiez l'assaisonnement.

Pour dresser, démoulez les gâteaux et entourez-les d'un cordon de sauce. Posez dessus la julienne crue de potimarron.

Ingrédients

10 g de miso

100 g de riz demi-complet

150 g de lentilles

50 g de poireau

50 g de carotte

80 g d'oignon

4 gousses d'ail

1 bouquet garni avec 2 feuilles de sauge et 1 branche de sarriette

2 clous de girofle

2 œufs

SAUCE

25 g + 5 cl d'huile d'olive

100 g d'oignons

4 gousses d'ail

1/2 cuil. à café d'herbes de Provence

400 g de potimarron

DÉCOR

80 g de potimarron en fine julienne

Légumes vapeur façon chinoise

Préparation : 35 min
Cuisson : 15 min

Ingrédients

100 g de brocoli

150 g de courgettes

100 g de fenouil

150 g de potimarron

100 g de germes de soja

PÂTE À NOUILLES

100 g de farine de blé

100 g de farine de riz

1 pincée de sel

FARCE

180 g de cerneaux de noix

2 cuil. à soupe de purée d'olives

80 g de ricotta

50 g de pain demi-complet

1 pincée de macis

4 gouttes de Tabasco

sel

SAUCE

2 cuil. à soupe de tamari

1 cuil. à café de gingembre frais haché

1/2 cuil. à soupe d'arrow-root

1 cuil. à café de sucre

4 cébettes émincées

sel

pour 4 personnes

Préparez la pâte : dans un saladier, réunissez les 2 farines, le sel et versez de l'eau pour amener à consistance d'une pâte homogène. Enveloppez-la dans du papier film.

Préparez la farce : mixez les cerneaux de noix, la purée d'olives, la ricotta et le pain demi-complet. Assaisonnez de sel, de macis et de Tabasco.

Émincez de biais sur 2 mm d'épaisseur le brocoli, les courgettes, le fenouil et le potimarron. Mélangez aux germes de soja et étalez régulièrement sur la partie haute d'un couscoussier tous les légumes. Posez-la sur la partie basse contenant de l'eau salée en ébullition, posez le couvercle et faites cuire 8 min.

Abaissez la pâte sur 1 mm d'épaisseur, découpez des cercles de 4 mm de diamètre, passez de l'eau sur le bord des cercles, posez 1 cuillerée à café de farce au milieu et pliez en deux pour former des chaussons. Soudez les bords.

Dès que les légumes sont cuits, tenez-les au chaud dans un plat et posez les petits chaussons farcis dans le couscoussier. Cuisez-les 5 min.

Préparez la sauce : amenez à ébullition 20 cl d'eau avec le tamari, le sel, le sucre et le gingembre. Versez l'arrow-root dilué dans 3 cuillerées à soupe d'eau froide. Mélangez avec un fouet et incorporez les cébettes.

Dressez les légumes en bouquet, disposez les petits chaussons de pâte autour et faites un cordon de sauce autour de l'assiette.

Pâtissons en surprise

pour 4 personnes

Préparation : 45 min
Cuisson : 50 min

Ingrédients

4 petits pâtissons

LA FARCE

200 g de poireaux

100 g de courgettes

100 g de potimarron

40 g de céleri branche

1 pincée de macis

4 gouttes de Tabasco

1 cuil. à café de tamari

50 g de semoule de blé

2 œufs (jaunes et blancs séparés)

30 g de parmesan

sel

Coupez des chapeaux sur les pâtissons, évidez-les avec une cuillère à légumes, hachez la chair et réservez. Plongez les pâtissons et les chapeaux dans une eau bouillante salée 10 min, égouttez, rafraîchissez. Taillez en paysanne très fine les poireaux, les courgettes, le potimarron et le céleri. Mettez la paysanne de légumes et la chair des pâtissons hachée dans une casserole avec 1/4 de litre d'eau et portez à ébullition. Assaisonnez de sel, de macis, de Tabasco et de tamari. Versez la semoule et faites cuire 6 min à petit feu. Mélangez avec une spatule en bois, retirez du feu et incorporez les jaunes d'œufs et le parmesan. Montez les blancs en neige très ferme et mélangez-les délicatement à la préparation. Garnissez chaque pâtisson et posez les chapeaux en biais sur la garniture. Enfournez à four préchauffé à 180 °C (th. 6) environ 25 min. Servez aussitôt.

Préparation : 35 min
Cuisson : 50 min

Ingrédients

8 feuilles de blettes

FARCE

20 g d'huile d'olive

100 g d'échalotes

200 g de champignons

50 g d'olives noires hachées

30 g de purée d'olives

1/2 cuil. à café d'herbes de Provence

80 g de mie de pain mixée

GRATIN

5 cl d'huile d'olive

150 g d'oignons

5 gousses d'ail hachées

600 g de pommes de terre

100 g d'olives noires hachées

SAUCE

200 g de tomates

2 cuil. à soupe de jus de citron

1 cuil. à soupe de tamari

2 cébettes

sel

Paupiettes de blettes en tapenade

pour 4 personnes

Coupez les feuilles de blettes au ras des côtes. Blanchissez-les 3 min.

Préparez la farce : ciselez les échalotes et hachez les champignons au couteau. Faites suer les échalotes dans l'huile d'olive, ajoutez les champignons et faites cuire jusqu'au complet dessèchement. Retirez du feu, mélangez les olives noires, la purée d'olives, les herbes de Provence et liez avec la mie de pain.

Préparez le gratin : taillez les oignons en paysanne. Faites-les rissoler 5 min dans l'huile d'olive avec l'ail. Émincez les pommes de terre sur 2 mm d'épaisseur, mélangez-les avec les oignons, les olives noires et les herbes de Provence. Salez, mettez dans un plat à four et ajoutez 1/2 litre d'eau. Faites cuire 30 min au four préchauffé à 180 °C (th. 6).

Posez à plat chaque feuille de blettes et éliminez la côte blanche. Posez une grosse cuillerée à soupe de farce, rabattez les côtés de la feuille sur la farce et enroulez de bas en haut. Posez les paupiettes de blettes sur les pommes de terre et poursuivez la cuisson au four 10 min.

Préparez la sauce tomate : mondez, épépinez et détaillez en brunoise les tomates. Émincez finement les cébettes. Mélangez dans un petit saladier le jus de citron, le tamari, les cébettes, les tomates et le sel.

Dès que le gratin sort du four, arrosez les paupiettes avec la sauce et servez.

Gâteau de courgettes à l'étouffée d'artichauts

pour 4 personnes

**Préparation : 30 min
Cuisson : 50 min**

Ingrédients

800 g de courgettes

3 cl d'huile d'olive

20 g de beurre

30 g de mie de pain mixée

FARCE

5 cl d'huile d'olive

200 g de poireaux

100 g de flocons 5 céréales

30 g de parmesan

sel

GARNITURE

5 cl d'huile d'olive

150 g de petits oignons

4 artichauts

8 asperges

1/2 cuil. à soupe de sarriette

1 cuil. à soupe de tamari

sel

8 tours de moulin à poivre

DÉCOR

4 branches de sarriette

Coupez les extrémités des courgettes et retirez une lanière de peau sur deux avec un économe. Coupez 16 tranches de 2 mm d'épaisseur dans la longueur. Faites-les sauter dans une poêle avec l'huile d'olive. Émincez le reste des courgettes.

Préparez la farce : mettez à suer dans l'huile d'olive les poireaux émincés, puis le reste des courgettes émincées. Salez et couvrez d'un rond de papier. Faites cuire 25 min à petit feu. Mixez et versez les flocons. Faites cuire de nouveau pendant 5 min, retirez du feu et incorporez le parmesan.

Beurrez et chemisez 4 moules avec la mie de pain. Tapissez chaque moule avec 4 tranches de courgette qui se superposeront au centre. Garnissez de farce et rabattez les extrémités de tranches de courgette par-dessus. Faites cuire 20 min au four préchauffé à 150 °C (th. 5).

Préparez la garniture : épluchez les petits oignons. Tournez les artichauts, retirez le foin et coupez-les en quartiers. Épluchez les asperges, tronçonnez-les en morceaux de 2 cm. Dans l'huile d'olive, faites rissoler les petits oignons pendant 5 min, ajoutez les artichauts, les asperges, la sarriette et faites cuire à feu vif et à découvert pendant 5 min. Déglacez avec le tamari, 5 cl d'eau, salez et poivrez. Baissez le feu, couvrez d'un rond de papier et laissez mijoter 5 min.

Démoulez les gâteaux de courgettes et entourez-les de la garniture. Arrosez d'un cordon de jus. Piquez sur chaque gâteau une branche de sarriette.

Les Desserts

**Préparation : 15 min
Cuisson : 15 min**

Ingrédients

APPAREIL À TULIPE

25 g de farine

1 œuf

50 g de sucre
semoule

25 g de beurre
fondu

200 g de framboises

200 g de fraises

1/4 l de sorbet
à la framboise

1/4 l de sorbet
à la fraise

4 branches de
menthe

Tulipe glacée

pour 4 personnes

Dans un saladier, cassez l'œuf, ajoutez le sucre, mélangez au fouet, puis versez la farine tamisée et incorporez, en dernier, le beurre fondu. La pâte doit être très lisse.

Sur une plaque à pâtisserie grassement beurrée, étalez la pâte en formant 4 crêpes très fines de 8 centimètres de diamètre. Espacez ces crêpes de 3 centimètres entre elles. Faites cuire 15 min à four préchauffé à 180 °C (th. 6).

Décollez chaque crêpe avec une spatule métallique et déposez-la dans un bol. Posez par-dessus un ramequin afin de lui donner la forme d'une tulipe. Attention, cette pâte devient très cassante en refroidissant ; soyez très rapide pour former les tulipes.

Disposez une tulipe dans chaque assiette et garnissez-la d'une bonne cuillerée à soupe de chaque sorbet. Détaillez les fraises en quatre, répartissez-les avec les framboises sur les sorbets et posez une belle branche de menthe.

 Préparation : 20 min
Cuisson : 15 min

Ingrédients

4 bananes mûres

PÂTE À FRIRE

125 g de farine

2 œufs (jaunes
et blancs séparés)

1 cuil. à soupe
de graines de
sésame

2 cuil. à soupe
d'huile d'olive

1 pincée de sel

FINITION

huile d'arachide

pour la friture

20 g de sucre glace

Beignets de bananes

pour 4 personnes

Préparez 2 saladiers. Mettez les blancs d'œufs dans l'un d'entre eux et les jaunes dans l'autre. Ajoutez aux jaunes la farine, le sel, l'huile, les graines de sésame et 10 cl d'eau chauffée à 35 °C environ. Travaillez à la spatule en bois, jusqu'à l'obtention d'une pâte à crêpes épaisse ; il ne doit pas y avoir de grumeaux.

Juste avant l'utilisation, montez les blancs en neige très ferme avec un fouet et incorporez-les à la pâte avec la spatule.

Épluchez et tronçonnez les bananes. Passez les morceaux dans la pâte à frire à l'aide d'une cuillère à potage, puis plongez-les dans un bain d'huile d'arachide à 180 °C (th. 6).

Tournez les beignets pour qu'ils dorent sur toutes les faces. Égouttez-les sur un papier absorbant, saupoudrez de sucre glace et servez chaud.

Parfait au caramel

pour 4 personnes

Préparez le caramel : dans une casserole, faites cuire le sucre et le jus de citron en remuant à l'aide d'une spatule en bois, jusqu'à obtenir la consistance du miel. Quand la préparation devient marron clair, versez la crème fraîche épaisse et continuez de mélanger afin d'obtenir une préparation liquide. Retirez du feu dès que le caramel est entièrement dissout.

Dans un saladier, versez les jaunes d'œufs et mélangez au fouet, en versant petit à petit le caramel. Puis mélangez au fouet électrique jusqu'à ce que la préparation devienne mousseuse et soit complètement froide.

Montez la crème liquide au fouet, comme une crème chantilly, puis incorporez-la dans la préparation froide.

Garnissez 4 petits moules et faites prendre au congélateur environ 2 heures.

Préparez la crème anglaise au café : amenez à ébullition la crème et le lait contenant les grains de café concassés. Laissez infuser 15 min, puis filtrez. Travaillez au fouet les jaunes et le sucre et versez petit à petit l'infusion de café, en mélangeant avec une spatule en bois. Faites cuire à feu doux en remuant constamment (ne dépassez pas 83 °C) ; la sauce doit napper la spatule. Passez très rapidement au chinois étamine dans un saladier, mélangez au fouet et laissez refroidir.

Démoulez les parfaits et nappez de crème au café.

Préparation : 25 min
Cuisson : 15 min
Congélation : 2 h

Ingrédients

100 g de sucre

4 jaunes d'œufs

150 g de crème fraîche épaisse

10 cl de crème liquide

1/2 cuil. à café de jus de citron

CRÈME ANGLAISE AU CAFÉ

1/4 l de crème liquide

1/4 l de lait

100 g de grains de café concassés

5 jaunes d'œufs

100 g de sucre

 Préparation : 15 min
Cuisson : 5 min
Réfrigération : 2 h

Ingrédients

70 g de pomme

70 g de poire

70 g d'ananas

50 g de fraises

50 g de mangue

2 g d'agar-agar

40 g de sucre

DÉCOR

150 g de coulis de
fraises ou de
mangue

4 fraises

4 feuilles de menthe

Fruits en gelée

pour 4 personnes

Épluchez et émincez tous les fruits en paysanne.
Dans une casserole, versez 1/4 de litre d'eau froide,
de sucre et l'agar-agar. Portez à ébullition en mélangeant avec un fouet. Dès qu'il y a ébullition, plongez tous les fruits et attendez que l'ébullition
reprenne. Retirez la casserole du feu et garnissez
4 moules. Entreposez au réfrigérateur 2 heures.
Démoulez sur les assiettes et entourez d'un cordon
de coulis de fraises ou de mangue. Décorez chaque
assiette d'une fraise et d'une feuille de menthe.

Mousseux de chocolat

pour 4 personnes

**Préparation : 15 min
Cuisson : 5 min**

Ingrédients

120 g de beurre

100 g de chocolat
noir de couverture
(chocolat pâtissier)

30 g de poudre
de cacao sans sucre

2 œufs entiers
de 60 g

3 jaunes d'œufs

80 g de sucre glace

25 g de farine
tamisée

DÉCOR

4 boules de glace
à la vanille

cacao pour
saupoudrer

Dans un saladier, mettez le beurre et le chocolat coupés en petits morceaux, ainsi que la poudre de cacao. Faites fondre au bain-marie, puis mélangez avec un fouet.

Dans un autre saladier, mélangez les œufs entiers, les jaunes, le sucre glace et montez au fouet électrique jusqu'à l'obtention d'une mousse onctueuse.

Avec une spatule en bois, incorporez délicatement la farine, puis versez le chocolat fondu en l'incorporant de haut en bas (ne tournez pas comme pour une mayonnaise).

Beurrez et farinez 4 moules en fer ou en aluminium, de façon à avoir un contact très rapide avec la chaleur. Garnissez les moules jusqu'à hauteur et faites cuire au four préchauffé à 240 °C (th. 8), pendant 4 min.

Démoulez sur les assiettes dès la sortie du four, saupoudrez de cacao et servez avec une boule de glace à la vanille.

Fraises au kummel

pour 4 personnes

Préparation : 20 min
Cuisson : 10 min
Marinade : 30 min

Ingrédients

3 jaunes d'œufs

100 g de sucre

3 blancs d'œufs

100 g de farine

150 g de confiture de fraises

400 g de fraises

10 cl de kummel

20 g de sucre

Dans un saladier, mélangez au fouet électrique les jaunes d'œufs, le sucre et 3 cuillerées à soupe d'eau, jusqu'à l'obtention d'une mousse onctueuse.

Dans un autre saladier, montez les blancs en neige très ferme. Avec une spatule en bois, incorporez-les à la mousse onctueuse, puis ajoutez la farine tamisée.

Sur une plaque à pâtisserie, posez une feuille de papier sulfurisé beurrée et farinée, étalez uniformément l'appareil à biscuit et faites cuire à four préchauffé à 180 °C (th. 6), pendant 10 min.

À la sortie du four, retournez le papier sulfurisé, décollez-le et posez le biscuit dessus. Recouvrez de confiture de fraises en l'étalant avec une spatule métallique. Enroulez le biscuit et maintenez-le roulé à l'aide de la feuille de papier sulfurisé.

Lavez les fraises, retirez le pédoncule, coupez-les en quatre et mélangez-les, dans un saladier, avec le sucre et le kummel. Laissez mariner au réfrigérateur 30 min.

Détaillez des tranches de 5 centimètres d'épaisseur dans le roulé aux fraises et faites se chevaucher 3 tranches sur chaque assiette. Répartissez les fraises et arrosez de kummel.

Croquettes de riz aux raisins

pour 4 personnes

 Préparation : 20 min
Cuisson : 15 min

Ingrédients

RIZ AU LAIT

70 g de riz
(non incollable)

1/4 l de lait

1 pincée de sel

1/2 gousse de vanille

100 g de raisins secs

2 jaunes d'œufs

20 g de sucre

POUR PANER

50 g de farine

1 œuf

80 g de mie de pain

SAUCE AU MARC

50 g de sucre

5 cl de marc
de raisins

80 g de beurre

CUISSON

1 l d'huile d'arachide
pour la friture

Préparez le riz au lait : blanchissez le riz dans 1 litre d'eau. Égouttez, remettez le riz dans la casserole, versez le lait, ajoutez le sel et la vanille. Faites cuire à petit feu avec un rond de papier. Au 3/4 de la cuisson, ajoutez les raisins secs. Dans un bol, mélangez les jaunes d'œufs et le sucre. Quand le riz est cuit, retirez du feu et ajoutez le mélange jaunes-sucre. Amenez à ébullition puis débarrassez dans un saladier.

Préparez la panure : mettez la farine dans une assiette, l'œuf battu avec 3 cuillerées à soupe d'eau dans une autre assiette, et la mie de pain mixée dans une troisième.

Préparez la sauce au marc : amenez à ébullition 10 cl d'eau et le sucre, retirez du feu, ajoutez le marc de raisin et incorporez le beurre avec le mixeur plongeant.

Quand le riz est bien froid, formez des croquettes de 2 centimètres de diamètre environ. Panez-les dans la farine, dans l'anglaise puis dans la mie de pain et réservez-les au réfrigérateur. Au moment de servir, plongez les croquettes dans une friture à 180 °C, jusqu'à obtention d'une croûte dorée. Égouttez sur un papier absorbant.

Dressez sur les assiettes et nappez de sauce au marc.

Avocat aux épices

pour 4 personnes

Préparation : 10 min
Réfrigération : 1 h

Ingrédients

2 avocats bien mûrs
(attention la chair ne
doit pas être noire)

1 citron

3 blancs d'œufs

80 g de sucre

mélange d'épices
pulvérisées
(1 cuil. à café
d'anis vert,
de gingembre,
de coriandre,
de cardamome,
de poivre
de Séchouan,
de cannelle)

1 pincée de girofle

DÉCOR

graines de pavot

nougatine

menthe

framboises

Réservez 2 gouttes de jus de citron et mixez la chair des avocats avec le reste du jus de citron et 1 cuillerée à café du mélange d'épices. Débarrassez dans un saladier.

À l'aide d'un fouet électrique, montez les blancs en neige très ferme, avec les 2 gouttes de jus de citron réservées, puis versez petit à petit le sucre en continuant d'utiliser le fouet électrique. Vous obtenez une meringue.

À l'aide d'une spatule en bois, incorporez l'avocat dans la meringue, en tournant de haut en bas, puis répartissez dans les coupes.

Réservez au réfrigérateur pendant 1 heure.

Avant de servir, décorez avec les graines de pavot, de la nougatine, des feuilles de menthe et des framboises.

 Préparation : 15 min
Cuisson : 20 min

Ingrédients

PÂTE À CRÊPES

120 g de farine

1 pincée de sel

2 œufs

20 g de sucre

1/4 l de lait

30 g de beurre
fondu

CRÈME PÂTISSIÈRE

2 jaunes d'œufs

1 œuf

50 g de sucre

25 g de farine

1 cuil. à café
de zeste
de citron râpé

1/4 l de lait

200 g de myrtilles

DÉCOR

100 g de myrtilles

sucre glace

Pannequets aux myrtilles

pour 4 personnes

Faites les crêpes : dans un saladier, versez la farine en fontaine avec au milieu le sel, les œufs et le sucre. Mélangez au fouet en versant petit à petit le lait. Mélangez bien, il ne doit pas y avoir de grumeaux. Ajoutez le beurre fondu en dernier. Passez la pâte au chinois étamine. Confectionnez 8 crêpes très fines et empilez-les sur une assiette.

Préparez la crème pâtissière : mélangez au fouet les œufs et le sucre, ajoutez la farine avec le zeste de citron râpé. Versez petit à petit le lait bouillant, puis amenez à ébullition en remuant constamment. Dès qu'il y a ébullition, débarrassez la crème dans un saladier et incorporez les myrtilles avec la spatule en bois.

Garnissez les crêpes : posez chaque crêpe bien à plat, versez 2 cuillerées à soupe de crème pâtissière, étalez sur la crêpe et roulez comme un cigare.

Dressez 2 crêpes par assiette, parsemez de myrtilles et saupoudrez d'un peu de sucre glace.

Préparation : 15 min
Cuisson : 25 min

Ingrédients

20 g de beurre

4 bananes mûres

50 g de sucre

5 cl de rhum

150 g de crème épaisse

200 g de macarons

Gratin de bananes Beauharnais

pour 4 personnes

Beurrez un moule à gratin. Épluchez et émincez les bananes en biais, en rondelles de 1 centimètre d'épaisseur environ. Tapissez le fond du moule avec les tranches de bananes et saupoudrez de sucre.

Faites cuire au four préchauffé à 240 °C (th. 8), pendant 10 min.

Retirez le moule du four, arrosez du rhum et répartissez la crème à la surface. Faites cuire à nouveau 5 min à 240 °C (th. 8).

Concassez les macarons et répartissez-les à la surface du moule. Poursuivez la cuisson pendant 8 min à 210 °C (th. 7).

Servez dès la sortie du four.

Préparation : 35 min
Cuisson : 40 min
Congélation : 15 min

Ingrédients

1 kg de cerises

200 g de sucre
+ 30 g pour
la chantilly

30 cl de crème
liquide

5 cl de kirsch

5 cl de
cherry-brandy

Décor

Mélange d'épices
pulvérisées
(1 pincée de cannelle,
de 4 épices,
de girofle,
de gingembre
et de coriandre)

Coupe Elisabeth

pour 4 personnes

Dénoyautez les cerises et réservez les noyaux. Mettez les cerises dénoyautées dans une casserole.
Préparez un sirop avec 50 cl d'eau, le sucre et tous les noyaux. Faites bouillir 15 min, puis filtrez le sirop bouillant sur les cerises dénoyautées. Couvrez d'un rond de papier et faites cuire à petit feu pendant 25 min.
Montez et sucrez la crème chantilly.
Égouttez bien les cerises, mettez-les dans un saladier, arrosez du kirsch et du cherry-brandy. Mettez 15 min au congélateur ; les cerises doivent être « frappées ».
Répartissez les cerises entre les coupes, nappez-les de crème chantilly et saupoudrez avec le mélange d'épices.

Soufflé chaud au citron, sauce chocolat

pour 4 personnes

Préparation : 20 min
Cuisson : 25 à 35 min

Beurrez et sucrez un grand moule ou 4 moules individuels. Réservez au réfrigérateur.

Faites un roux blanc avec le beurre fondu et la farine, cuisez-le au four à 150 °C pendant 15 min. Laissez refroidir.

Dans une casserole, faites chauffer le lait avec le sucre et le zeste des citrons. À ébullition, passez le lait bouillant au chinois et versez petit à petit sur le roux froid, en fouettant constamment. La préparation devient lisse et très pâteuse. Retirez le fouet et travaillez à la spatule en bois sur le feu, jusqu'à ébullition. Retirez du feu et incorporez les 6 jaunes d'œufs un à un.

Montez les blancs d'œufs en neige très ferme et incorporez-les à la crème au citron. Versez l'appareil dans le ou les moules et faites cuire au four préchauffé à 210 °C (th. 7), pendant 35 min pour un grand moule ou 25 min pour de petits moules.

Découpez le chocolat en petits morceaux, mettez-le dans un saladier avec le cacao et 20 cl d'eau. Chauffez au bain-marie tout en remuant au fouet, afin d'obtenir une sauce très lisse.

Nappez de sauce chocolat les portions de soufflé au citron dans les assiettes.

Ingrédients

beurre et sucre
pour les moules

APPAREIL À SOUFFLÉ

60 g de beurre

60 g de farine

50 cl de lait

le zeste de 4 citrons

150 g de sucre

6 jaunes d'œufs

6 blancs d'œufs

SAUCE CHOCOLAT

150 g de chocolat
noir de couverture

50 g de poudre
de cacao

**Préparation : 35 min
Cuisson : 30 min**

Ingrédients

4 pommes reinettes

4 tranches rondes de pain demi-complet

50 g de beurre

le zeste de 1/2 orange râpé fin

1 pincée de safran

50 g de sucre

100 g d'amandes entières mondées

20 cl de vin blanc

CRÈME CHANTILLY

1/4 l de crème fraîche

20 g de sucre

50 g de pistaches concassées

Pommes au four « bonne femme »

pour 4 personnes

Toastez les tranches de pain sans coloration et posez-les dans un plat à gratin.

Creusez les pommes sans les éplucher, mais en retirant bien le péricarde. Posez une pomme sur chaque toast.

Dans un saladier, réduisez le beurre en pommade en y mélangeant le zeste d'orange râpé, le safran et 50 g de sucre.

Garnissez les cavités des pommes avec le beurre au safran. Piquez les pommes avec les amandes mondées à intervalles réguliers. Faites cuire au four préchauffé à 210 °C (th. 7), pendant 10 min. Sortez le plat du four et arrosez les pommes du vin blanc.

Baissez la température du four à 180 °C (th. 6) et faites cuire encore 15 min, en arrosant fréquemment avec le jus de cuisson.

Montez la crème en chantilly, ajoutez 20 g de sucre et les pistaches.

Servez les pommes dès leur sortie du four avec 2 cuillerées à soupe de chantilly aux pistaches.

Préparation : 25 min
Cuisson : 5 min

Ingrédients

100 g de framboises

150 g de fraises

80 g de myrtilles

80 g de groseilles

50 g de fraises
des bois

le jus de 1 citron

50 g de sucre

SABAYON

4 jaunes d'œufs

100 g de sucre

4 cuil. à soupe d'eau
de fleur d'oranger

Gratin de fruits rouges

pour 4 personnes

Dans un saladier, réunissez les framboises, les myrtilles, les groseilles, les fraises des bois et les fraises (lavées, équeutées et coupées en quatre), le sucre et le jus de citron. Mélangez bien et répartissez dans des assiettes creuses.

Dans un autre saladier, mélangez au fouet électrique les jaunes d'œufs, l'eau de fleur d'oranger, 4 cuillerées à soupe d'eau et le sucre. Posez dans un bain-marie et chauffez en fouettant constamment, jusqu'à la consistance d'une crème mousseuse.

Retirez du feu, continuez de fouetter au batteur électrique, puis nappez chaque assiette de sabayon et passez au four préchauffé à 240 °C (th. 8) pendant 4 min.

Servez aussitôt.

Oreillettes et crème chiboust au citron

pour 4 personnes

Préparation : 20 min
Cuisson : 15 min
Repos de la pâte : 1 h

Ingrédients

PÂTE

130 g de farine

15 g de sucre

20 g de beurre

1 œuf

1 pincée de sel

2 cuil. à café d'eau de fleur d'oranger

1 cuil. à café de zeste de citron râpé

CRÈME

75 g de jus de citron

70 g de crème fraîche

4 jaunes d'œufs

20 g d'arrow-root

4 blancs d'œufs

80 g de sucre

Préparez les oreillettes : dans un saladier, versez la farine, faites une fontaine et ajoutez tous les autres ingrédients. Pétrissez du bout des doigts, jusqu'à l'obtention d'une pâte très homogène. Laissez reposer 1 heure minimum.

Abaissez très finement la pâte pour obtenir l'épaisseur d'une feuille de papier à cigarette. Détaillez des triangles et faites une entaille au milieu.

Faites cuire les oreillettes dans un bain de friture à 170 °C. Retournez-les dans l'huile pour dorer convenablement toutes les faces. Égouttez et sucrez.

Préparez la crème : mélangez le jus de citron et la crème fraîche, portez à ébullition. Mélangez avec un fouet les jaunes, 30 g de sucre et l'arrow-root. Versez petit à petit le mélange de crème fraîche et de jus de citron et faites cuire jusqu'à ébullition, en mélangeant avec un fouet. Montez au fouet électrique les blancs en neige très ferme, puis versez petit à petit 50 g de sucre, en continuant de battre au fouet électrique pendant 3 min. Incorporez la crème brûlante aux blancs d'œufs et mélangez de haut en bas avec une spatule en bois. Répartissez dans les coupelles et réservez au congélateur pendant 1 heure.

Servez les oreillettes avec la crème.

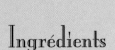

Clafoutis de poires

pour 4 personnes

Épluchez les poires, coupez-les en deux, retirez la partie centrale et émincez-les finement. Détaillez le pain d'épices en petits dés.

Beurrez un plat à gratin. Mélangez les poires et le pain d'épices, garnissez le plat beurré.

Dans un saladier, mélangez au fouet les œufs, le sucre, la poudre d'amande et, en dernier, la crème fraîche.

Recouvrez les poires de cet appareil et faites cuire au four préchauffé à 180 °C (th. 6), pendant 25 à 30 min.

Servez tiède.

⏱ **Préparation : 15 min**
Cuisson : 30 min

Ingrédients

4 poires

4 tranches de pain d'épices

3 œufs

40 g de sucre

50 g d'amandes en poudre

50 cl de crème fraîche

beurre pour le plat

Préparation : 30 min
Réfrigération : 2 h

Ingrédients

30 biscuits
« nantais »

1/4 l de café

30 g de poudre
de cacao

200 g de beurre

2 jaunes d'œufs

125 g de sucre

1 cuil. à soupe
de café soluble

Gâteau des mamies

pour 4 personnes

Travaillez le beurre en pommade dans un saladier et mettez les jaunes d'œufs dans un autre saladier.

Dans une casserole, faites cuire le sucre avec 5 cl d'eau (ne mélangez pas durant la cuisson). Vérifiez la cuisson du sucre en plongeant le bout des doigts dans l'eau froide, puis rapidement dans le sucre et dans l'eau froide à nouveau : dès qu'une boule de sucre se forme entre vos doigts, retirez la casserole du feu et versez sur les jaunes, sans vous arrêter, en mélangeant avec le fouet. Faites bien refroidir la préparation, toujours en remuant avec le fouet, puis incorporez petit à petit le beurre en pommade et le café soluble délayé dans 1 cuillerée à soupe d'eau.

Faites un café et laissez-le tiédir. Trempez rapidement les biscuits un par un et étalez-en 6 côte à côte.

Garnissez le milieu d'une assiette, et recouvrez de crème au beurre.

Posez à nouveau 6 biscuits et montez ainsi en alternant avec la crème au beurre sur 5 niveaux. Recouvrez de crème et lissez à la spatule métallique. Poudrez de cacao ou de carrés de chocolat râpés.

Laissez 2 heures au réfrigérateur avant de servir.

Préparation : 20 min
Cuisson : 10 min

Ingrédients

100 g de farine
de châtaignes

2 jaunes d'œufs

20 g de sucre

1 pincée de sel

1 cuil. à soupe
de rhum

1 cuil. à soupe +
5 cl d'huile d'olive

25 g de pignons

25 g de raisins secs

2 blancs d'œufs

sucre semoule
pour saupoudrer

Galettes de châtaignes aux pignons

pour 4 personnes

Faites torréfier les pignons. Plongez les raisins 5 min dans l'eau bouillante, rafraîchissez-les et égouttez-les.

Cassez les œufs en séparant les blancs des jaunes.

Dans un saladier, disposez la farine en fontaine, ajoutez au milieu les jaunes, le sucre, le sel, le rhum et l'huile d'olive. Mélangez avec un fouet en versant petit à petit 40 g d'eau. Vous devez obtenir une pâte lisse. Ajoutez les pignons et les raisins, en mélangeant avec une spatule en bois. Montez les blancs en neige très ferme et incorporez-les délicatement à la pâte.

Dans une poêle, chauffez 5 cl d'huile d'olive, disposez des petits tas de pâte de la grosseur d'une noix. Dorez les deux faces et égouttez sur un papier absorbant.

Saupoudrez de sucre semoule et servez aussitôt.

Préparation : 30 min
Cuisson : 45 min
Réfrigération : 1 h

Ingrédients

CRÈME PÂTISSIÈRE

2 œufs

6 jaunes d'œufs

70 g de sucre semoule

1 pincée de sel

40 g d'arrow-root

100 g de farine

1/2 l de lait

30 g de beurre

GARNITURE

3 oranges

100 g d'écorce d'oranges confites

POUR PANER

80 g de farine

2 œufs

100 g de mie de pain

Crèmes frites à l'orange

pour 4 personnes

Torréfiez la farine à 150 °C (th. 5), pendant 30 min. Laissez-la refroidir.

Détaillez l'écorce d'oranges confites en petits dés. Retirez les zestes d'une orange, émincez-les finement, plongez-les dans l'eau bouillante pendant 1 min, égouttez et rafraîchissez.

Portez le lait contenant les zestes de la deuxième orange à ébullition.

Travaillez au fouet les œufs, les jaunes, le sucre et le sel pendant 5 min. Puis ajoutez l'arrow-root et la farine torréfiée froide. Continuez de fouetter pendant 4 min. Retirez les zestes d'orange du lait et versez petit à petit le lait bouillant sur l'appareil, sans cesser de remuer avec le fouet.

Remettez sur le feu et amenez à ébullition en continuant de fouetter. Retirez du feu et mélangez le beurre coupé en petits morceaux avec une spatule en bois.

Ajoutez la julienne d'écorces d'orange et le zeste râpé de la troisième orange.

Étalez la crème sur un plateau recouvert de papier d'aluminium sur une épaisseur de 1,5 centimètre et faites refroidir au réfrigérateur 1 heure.

Pour paner : détaillez des triangles dans la crème et passez tous les morceaux dans la farine, puis dans les œufs battus avec 5 cl d'eau et enfin dans la mie de pain.

Plongez les crèmes panées dans la friture à 180 °C. Dès que la couleur devient marron clair, égouttez sur un papier absorbant.

Dressez les crèmes frites sur les assiettes avec la julienne de zestes d'orange et des suprêmes d'orange.

Montécao et mousse de mangue

pour 4 personnes

Préparation : 15 min
Cuisson : 40 min

Ingrédients

MONTÉCAO

125 g de farine

30 g de sucre

le zeste râpé fin de 1/2 citron

4 gouttes d'extrait de vanille

5 cl d'huile d'olive

1 cuil. à café de cannelle en poudre

MOUSSE DE MANGUE

250 g de pulpe de mangue

1 cuil. à café de jus de citron vert

60 g de sucre

20 cl de crème fraîche

Préparez les montécaos : dans un saladier, mélangez la farine et le sucre. Ajoutez le zeste de citron râpé, l'extrait de vanille et l'huile d'olive. Mélangez du bout des doigts, afin d'obtenir une consistance de pâte, puis roulez des morceaux de la grosseur d'une noix. Rangez-les côte à côte sur une plaque à pâtisserie. Posez une pincée de cannelle sur chaque montécao et faites cuire au four préchauffé à 150 °C (th. 5), 35 à 40 min.

Préparez la mousse de mangue : mixez très finement la pulpe de mangue avec le jus de citron vert. Portez à ébullition le sucre et 5 cl d'eau. Versez sur la mangue, mixez à nouveau quelques secondes et laissez refroidir. Montez la crème fraîche au fouet afin d'obtenir la consistance d'une crème chantilly et incorporez-y délicatement la pulpe de mangue froide.

Répartissez la mousse dans des coupes et servez très frais accompagné des montécaos.

Préparation : 15 min
Cuisson : 5 min
Marinade : 1 h

Ingrédients

1 petit ananas

16 fraises

10 cl marasquin

300 g de sucre

4 branches
de menthe

Ananas caramélisé au marasquin

pour 4 personnes

Épluchez l'ananas et détaillez-le en morceaux de la grosseur des fraises. Dans un saladier, mettez à mariner les morceaux d'ananas et le marasquin, pendant 1 heure environ.

Lavez les fraises et retirez le pédoncule. Sur des brochettes en bois de 7 centimètres de long, enfilez une fraise, puis plusieurs morceaux d'ananas, et terminez par une fraise. Comptez environ 2 brochettes par personne.

Dans une poêle, confectionnez un caramel à feu vif avec le sucre et 10 cl d'eau. Quand le mélange blondit, arrêtez la cuisson en plongeant le fond de la poêle dans l'eau froide 1 à 2 secondes.

Passez rapidement les brochettes dans le caramel et posez-les sur un papier d'aluminium légèrement huilé.

Quand le caramel est froid, servez agrémenté de branches de menthe.

Brownies de la laitière

pour 4 personnes

Préparation : 20 min
Cuisson : 40 min

Faites torrefier les noisettes en les passant au four préchauffé à 150 °C (th. 5), pendant 15 min. Chauffez le chocolat au bain-marie. Travaillez le beurre en pommade.

Dans un saladier, travaillez au fouet le beurre et le sucre. Puis ajoutez 1 œuf, la moitié de la farine, le second œuf, et continuez de mélanger au fouet. Ajoutez le reste de la farine et le chocolat fondu.

Concassez les noisettes et, avec une spatule en bois, incorporez-les délicatement en coupant la pâte.

Beurrez et farinez un moule à gratin, remplissez-le de manière que la pâte ait 1,5 centimètre d'épaisseur environ. Faites cuire à four préchauffé à 170 °C (th. 6) pendant 20 à 25 min.

Démoulez à la sortie du four et détaillez en morceaux réguliers.

Répartissez le fromage blanc dans des coupelles et disposez quelques brownies autour de chaque assiette.

Ingrédients

200 g de farine

2 œufs

80 g de beurre

70 g de sucre

150 g de chocolat noir de couverture (chocolat pâtissier)

50 g de noisettes

beurre et farine pour le moule

GARNITURE

250 g de fromage blanc battu

Tarte aux noix, glace café

pour 4 personnes

⏰ **Préparation : 20 min**
Cuisson : 20 min

Ingrédients

PÂTE SABLÉE

150 g de farine

75 g de beurre

35 g de poudre de noix

70 g de sucre

1 pincée de sel

1 œuf

20 g de beurre et 20 g de farine pour les moules

APPAREIL AUX NOIX

100 g de cerneaux noix

50 g de sucre

50 g de miel

4 cuil. à soupe de crème fraîche

20 g de beurre

2 cuil. à café de café soluble

GARNITURE

4 boules de glace au café

Préparez la pâte : dans la cuve du mixeur, réunissez la farine, le beurre, la poudre de noix, le sucre et la pincée de sel. Mixez environ 3 min, puis ajoutez l'œuf et mixez à nouveau 3 min. Retirez la pâte du bol du mixeur et foncez des moules à tartelettes beurrés et farinés (la pâte doit être très fine). Faites cuire la pâte à blanc au four préchauffé à 160 °C (th. 5), pendant 10 min environ.

Préparez l'appareil aux noix : dans une casserole, réunissez les cerneaux de noix concassés, le sucre, le miel, la crème fraîche et le beurre. Faites cuire 5 min à petite ébullition, retirez du feu, incorporez le café soluble et garnissez le fond des tartes avec l'appareil. Passez au four pendant 5 min à 180 °C (th. 6).

Servez chaque tartelette avec une boule de glace café en accompagnement.

Préparation : 20 min
Cuisson : 15 min
Réfrigération : 30 min

Ingrédients

PÂTE SABLÉE

170 g de farine

75 g de beurre

35 g de poudre
d'amandes

70 g de sucre

1 pincée de sel

1 œuf

4 gouttes d'extrait
de vanille

1 orange

CRÈME

2 ou 3 oranges
(20 cl de jus)

4 œufs

150 g de sucre

4 g d'agar-agar

150 g de beurre

Fondant à l'orange

pour 4 personnes

Préparez la pâte : dans la cuve du mixeur, réunissez la farine, le beurre, la poudre d'amandes, le sucre et la pincée de sel. Mixez environ 2 min, puis ajoutez l'œuf, l'extrait de vanille et le zeste d'orange râpé. Mixez à nouveau 1 min.

Retirez la pâte du bol du robot et foncez des moules à bord assez haut, ou à défaut des moules à tartelettes (la pâte doit être très fine). Faites cuire la pâte à blanc à four préchauffé à 150 °C (th. 5), pendant 15 min environ.

Préparez la crème : pressez les oranges dans un saladier. Ajoutez les œufs, le sucre et l'agar-agar. Posez le saladier dans un bain-marie et faites cuire l'appareil tout en mélangeant au fouet électrique jusqu'à l'obtention d'une crème mousseuse. Retirez du feu et incorporez au fouet électrique le beurre coupé en morceaux.

Garnissez les fonds de tarte avec de la crème à l'orange et réservez 30 min au réfrigérateur, afin que le fondant ait une bonne consistance. Servez et régalez-vous.

Mousseline de pommes à la rhubarbe

pour 4 personnes

Préparation : 25 min
Cuisson : 1 h

Épluchez les pommes, coupez-les en deux, enlevez le cœur et émincez-les grossièrement. Mettez-les dans une casserole avec le zeste de citron et la cannelle. Couvrez d'un rond de papier et faites cuire à petit feu jusqu'à ce que les pommes soient en compote. Retirez du feu. Mixez au mixeur plongeant en incorporant petit à petit les œufs un par un et l'arrow-root.

Quand la préparation est homogène, versez dans des moules beurrés et faites cuire au bain-marie recouvert d'un papier sulfurisé, au four préchauffé à 150 °C (th. 5), pendant 40 min.

Triez, coupez en petits morceaux et lavez la rhubarbe. Mettez-la dans une casserole avec le sucre et le jus de citron. Couvrez d'un rond de papier et faites cuire 15 min à petite ébullition, en mélangeant de temps en temps. Débarrassez dans un saladier et laissez refroidir.

Démoulez chaque mousseline sur une assiette et entourez-la d'un peu de rhubarbe.

Ingrédients

MOUSSELINE

2 pommes granny smith

2 pommes golden

1 pincée de cannelle

1 zeste de citron

3 œufs

2 cuil. à café d'arrow-root

COMPOTE DE RHUBARBE

400 g de rhubarbe

100 g de sucre

1/2 citron

Gâteau au fromage et sirop d'érable

pour 4 personnes

Préparation : 15 min
Cuisson : 30 min
Réfrigération : 2 h

Ingrédients

1 œuf entier

2 jaunes d'œufs

50 g de sucre

1/2 orange râpée
en zeste

1/2 citron râpé
en zeste

1 cuil. à soupe
de farine

250 g de fromage
en faisselle
bien égoutté

2 cuil. à soupe
de crème fraîche
épaisse

10 g de beurre
et 15 g de farine
pour le moule

CRÈME CHANTILLY

1/4 l de crème
liquide

20 g de sucre

DÉCOR

10 cl de sirop
d'érable

Dans un saladier, mélangez au fouet l'œuf, les jaunes avec le sucre et les zestes râpés. Incorporez la farine en la tamisant, puis le fromage blanc et la crème fraîche épaisse. Beurrez et farinez un moule, garnissez-le de tout l'appareil et faites cuire au four préchauffé à 150 °C (th. 5), 30 min.

Faites refroidir rapidement et conservez au minimum 2 heures au réfrigérateur avant de servir.

Montez la crème liquide en chantilly et incorporez-y le sucre.

Servez le gâteau accompagné de la crème chantilly et du sirop d'érable.

Cake aux dattes et salade de fruits

pour 6 personnes

⊙ **Préparation : 30 min**
Cuisson : 30 min

Ingrédients

CAKE

150 g de dattes
dénoyautées

100 g de beurre

3 œufs

50 g de farine

50 g de Maïzena

1 cuil. à café
de levure chimique

10 g de beurre
et 20 g de farine
pour le moule

SALADE DE FRUITS

1 pomme

1 poire

1 mangue

1/4 d'ananas

3 cuil. à soupe
de miel

10 cl d'eau de fleur
de géranium

Dans la cuve du batteur, mixez les dattes pendant 4 min, puis ajoutez le beurre et mixez à nouveau 3 min. Continuez en incorporant un œuf toutes les 2 min.

Tamisez la farine avec la Maïzena et la levure chimique.

Débarrassez l'appareil dans un saladier et incorporez délicatement le mélange tamisé.

Garnissez de la pâte un moule préalablement beurré et fariné. Faites cuire 30 min au four préchauffé à 150 °C (th. 5), puis laissez refroidir le cake.

Épluchez tous les fruits et détaillez-les en brunoise. Mettez-les dans un saladier, mélangez-les avec le miel et arrosez d'eau de fleur de géranium.

Servez le cake coupé en tranches avec la salade de fruits très fraîche.

 Préparation : 30 min
Cuisson : 30 min

Charlotte aux poires

pour 4 personnes

Ingrédients

40 g de beurre
en pommade

8 tranches de pain
brioché

5 poires

2 cuil. à soupe
d'huile d'olive

30 g de sucre

40 g de mie de pain

SAUCE ABRICOT

150 g de confiture
d'abricot

1 cuil. à soupe
d'arrow-root

Chemisez des ramequins avec du beurre en pommade.

Découpez à l'emporte-pièce des cercles de la circonférence du fond des moules dans les tranches de pain brioché. Détaillez ensuite des rectangles de 1 centimètre de largeur sur 4 centimètres de hauteur.

Posez les tranches rondes de pain dans le fond des moules et tapissez côte à côte avec les rectangles de pain, toute la surface intérieure des moules.

Épluchez les poires, coupez-les en quatre et émincez finement chaque morceau.

Faites chauffer une poêle avec l'huile d'olive et versez toutes les poires émincées. Faites cuire 3 min, poudrez de sucre, mélangez avec une spatule en bois et faites cuire encore 2 min. Poudrez de mie de pain, garnissez les moules avec les poires cuites et tassez bien.

Faites cuire les charlottes au four préchauffé à 210 °C (th. 7), pendant 25 min environ (le pain doit être bien doré).

Préparez la sauce abricot : portez à ébullition 25 cl d'eau et la confiture d'abricot. Délayez l'arrow-root avec 5 cl d'eau froide et versez sur la préparation bouillante, en remuant avec un fouet. Quand l'ébullition reprend, passez au chinois étamine dans un saladier.

Démoulez les charlottes sur des assiettes et nappez-les de sauce abricot.

Pruneaux de la Chandeleur

pour 4 personnes

 **Préparation : 20 min
Cuisson : 30 min
Réfrigération : 1 h**

Dans un saladier, mettez la farine en fontaine. Ajoutez au milieu les jaunes d'œufs, le sel, l'huile d'olive et le sucre. Versez le lait petit à petit, en mélangeant avec un fouet afin de ne pas avoir de grumeaux. La consistance de la pâte doit être très lisse.

Montez les blancs d'œufs en neige très ferme. Versez la pâte sur les blancs, en mélangeant avec une spatule en bois de haut en bas.

Confectionnez des crêpes.

Dénoyautez les pruneaux et mixez-les en purée, en détendant de temps en temps avec la crème fraîche, afin d'obtenir une crème onctueuse.

Dans un moule à génoise beurré, montez le gâteau en intercalant les crêpes et la crème aux pruneaux. Terminez par une crêpe. Faites cuire au four préchauffé à 150 °C (th. 5), pendant 15 min. Laissez refroidir et mettez au réfrigérateur pendant 1 heure.

Préparez la crème anglaise : mélangez bien les jaunes d'œufs et le sucre, travaillez au fouet 3 à 4 min. Versez petit à petit le lait bouillant contenant la gousse de vanille et faites cuire la crème jusqu'à ce qu'elle nappe la spatule. Passez au chinois étamine, fouettez et laissez refroidir.

Découpez le gâteau en parts, mettez chaque part sur une assiette et nappez de crème anglaise.

Ingrédients

PÂTE À CRÊPES

125 g de farine

2 jaunes d'œufs

1 pincée de sel

1 cuil. à soupe d'huile d'olive

20 g de sucre

1/4 l de lait

2 blancs d'œufs

CRÈME DE PRUNEAUX

300 g de pruneaux

1/4 l de crème fraîche environ

CRÈME ANGLAISE

3 jaunes d'œufs

40 g de sucre

1/4 l de lait

1 gousse de vanille

 Préparation : 20 min
Cuisson : 45 min

Ingrédients

4 bananes bien
mûres

10 cl d'huile d'olive

125 g de sucre

1 pincée de sel

3 œufs

150 g de farine

1 cuil. à café
de levure chimique

10 g de beurre et
20 g de farine
pour le moule

Dorothée cake

pour 4 personnes

Beurrez et farinez un moule à cake.

Épluchez et émincez grossièrement les bananes.

Mettez dans le mixeur les bananes, l'huile d'olive, le sucre, le sel et mixez pendant 5 min.

Ajoutez les œufs l'un après l'autre toutes les 2 min, en continuant de mixer. Versez dans un saladier.

Tamisez la farine avec la levure chimique et ajoutez ce mélange dans le saladier. Incorporez-le délicatement avec une spatule en bois.

Garnissez le moule à cake et faites cuire au four préchauffé à 150 °C (th. 5), pendant 45 min.

Annexes pratiques

Table des recettes

Index des produits

Tableaux des équivalences

Ingrédients de base	Cuillerée rase		Cuillerée bombée	
	à café	à soupe	à café	à soupe
eau	5 g	18 g	-	-
sirop	6 g	20 g	-	-
sucre en poudre	4 g	15 g	9 g	30 g
farine	3 g	10 g	9 g	25 g
riz	-	20 g	-	40 g
semoule	4 g	12 g	8,5 g	25 g
sel	5 g	16 g	7,5 g	30 g
miel	-	30 g	-	50 g

Température du four	
Degrés Celsius	Thermostat
80 °C	1
100 °C	2
120 °C	3
140 °C	4
160 °C	5
180 °C	6
200 °C	7
220 °C	8
240 °C	9
250 °C	10
270 °C	11
280 °C	12

Index des recettes

Remerciements

Je remercie tous mes amis qui savent être là pour m'encourager
et m'aider à entreprendre ;
la famille Federzoni avec Natur Dis, pour leur compétence et leur gentillesse.
À Jacques, Alexandre, Blandine, Stéphanie, Fabrice et Abdalha
qui supportent mes exigences.
Merci pour leur travail qui contribue à la réussite du Restaurant Montagard.
À Roland Gioan et Laurence Berthelet pour leurs terres vernissées.
Ma reconnaissance à Jean-Michel Lecerf, Philippe Desbrosses et Philippe Courbon
pour nos rencontres toujours aussi fructueuses et leur amitié fidèle.

Jean Montagard

Je remercie :
Véronique Von Fritshen de la poterie Du Cailar (30)
qui m'a très aimablement prêté une grande partie des plats et des assiettes.
La poterie Milon à Nyons (26)
Monsieur Federzoni des Éts Natur Dis à Grasse
qui m'a permis de photographier l'essentiel des fruits,
légumes et autres céréales bio présents dans ce livre.

Philippe Barret

Imprimé en France par I.M.E. 25110 Baume-les-Dames
23 27 6274 01/7
ISBN : 2 01 236274. 5
Dépôt légal : 3507-mars 1999
N° d'éditeur : 46036